Andreas S
F

STECKBRIEF

Michael: Athlet

Alter:
12 Jahre

Nation:
USA

Geschwister:
keine

Hobby:
Krafttraining

Lieblingsfarbe:
gold

Sternzeichen:
Widder

Schwäche:
protzt manchmal mit seinen Muskeln

Stärke:
meistens schnell im Handeln

Motto:
„Köpfchen allein genügt nicht. Kraft gehört dazu!"

Lieblingsfächer:
Gibt es nicht!

Berufswunsch:
Sport-Animateur, Fitnesstrainer

S

Geschwister:
Schwester Huong

Hobby:
Pflanzen, Bon

Lieblingsfarbe:
grün

Sternzeichen:
Löwe

Schwäche:
manchmal ge

Stärke:
ruhig und e

Motto:
„Es gibt

Lieblingsfäc
Biologie,

Berufswun
Richter

STECKBRIE

Jabali: Läufer

Alter:
12 Jahre

Nation:
Südafrika

Geschwister:
Bruder Rasul, 6 Jahre

Hobby:
Eisherstellung

Lieblingsfarbe:
täglich wechselnd

Sternzeichen:
Waage

Schwäche:
ist manchmal lieber allein

Stärke:
ausdauernd, geduldig

Motto:
„Nicht weglaufen, sondern hinlaufen!"

Lieblingsfächer:
Mathematik

Berufswunsch:
Sportwissenschaftler

CKBRIEF

Kämpferin

...re
... Deutschland, ihre
...n kommen aus Vietnam

...re

...umen

wie eine Giftschlange

...hen

...inen Weg."

...rs: Pflanzenkunde

STECKBRIEF

Ilka: Schwimmerin

Alter:
12 Jahre

Nation: Australien, die
Eltern kommen aus Deutschland

Geschwister:
keine

Hobby:
Zierfische, Salzwasseraquarium

Lieblingsfarbe:
türkisblau

Sternzeichen:
Skorpion

Schwäche:
hasst ihre Sommersprossen

Stärke:
unternehmungslustig, zuverlässig

Motto:
„Achte jedes Tierchen!"

Lieblingsfächer:
Physik, Chemie, Biologie

Berufswunsch:
Meeresbiologin oder Sportärztin

STECKBR...

Lennart: Ballkünstler

Alter:
12 Jahre

Nation:
Deutschland

Geschwister:
keine

Hobby:
Jonglieren und Bällesammeln

Lieblingsfarbe:
Linhs Augenfarbe

Sternzeichen:
Schütze

Schwäche:
manchmal hektisch und nervös

Stärke:
lebendig, kommunikativ

Motto:
„Erst zielen, dann handeln."

Lieblingsfächer:
Englisch, Deutsch

Berufswunsch:
Dolmetscher

Andreas Schlüter, geboren 1958, ist einer der erfolgreichsten Kinder- und Jugendbuchautoren der letzten Jahre. Gleich sein erstes Buch ›Level 4 – Die Stadt der Kinder‹ wurde ein Bestseller. Neben den zahlreichen ›Level 4‹-Bänden sind auch seine ›Heiße Spur . . .‹-Abenteuer um Marion und das sprechende Chamäleon bei dtv junior im Taschenbuch lieferbar.
Zusätzliche Informationen über Andreas Schlüter und seine Bücher stehen unter www.aschlueter.de und www.fuenf-asse.de zur Verfügung.

Irene Margil, geboren 1962, entdeckte im Alter von neun Jahren zwei Leidenschaften: das Fotografieren und den Sport. Das Fotografieren machte sie zu ihrem Beruf, den sie bis heute in Hamburg ausübt. Basketball, Skifahren, später Wen-Do und Karate waren ihre bevorzugten Sportarten, bis sie mit 33 Jahren das Laufen entdeckte. Sie läuft Halbmarathon und Marathon. Daneben ist Irene Margil ausgebildete Lauftherapeutin und Nordic-Walking-Trainerin. ›Fünf Asse‹ ist ihr erstes gemeinsames Buchprojekt mit Andreas Schlüter bei dtv junior. Zusätzliche Informationen über Irene Margil und ihre Bücher unter www.irenemargil.de.

Andreas Schlüter · Irene Margil

Fallrückzieher

Fünf Asse

Sport-Krimi

Mit einem Daumenkino
von Karoline Kehr

Deutscher Taschenbuch Verlag

In der Reihe ›Fünf Asse‹ sind außerdem lieferbar:
Startschuss (Mini-Olympiade), dtv junior 71319
Schulterwurf (Judo), dtv junior 71320
Schmetterball (Tischtennis), dtv junior 71321
Fehltritt (Klettern), dtv junior 71322
Abgetaucht (Schwimmen), dtv junior 71362
Ausreißer (Radfahren), dtv junior 71357
Spielmacher (Basketball), dtv junior 71368
Pistenjagd (Skifahren), dtv junior 71395

Originalausgabe
In neuer Rechtschreibung
Januar 2010
© 2010 Deutscher Taschenbuch Verlag GmbH & Co. KG,
München
www.dtvjunior.de
Umschlagkonzept: Karoline Kehr
Umschlagbild: Karoline Kehr
Lektorat: Anke Thiemann
Gesetzt aus der Lucida Sans 11/14,5˙
Gesamtherstellung: Druckerei C. H. Beck, Nördlingen
Gedruckt auf säurefreiem, chlorfrei gebleichtem Papier
Printed in Germany · ISBN 978-3-423-71396-2

Überraschende Einladung

Michael nahm ganz genau Maß. In voller Konzentration flutschte seine Zungenspitze unbemerkt aus dem Mund hervor und tänzelte über seine Unterlippe. Der nächste Schuss sollte sitzen. Unbedingt. Mit nur einem Schritt Anlauf peilte er das untere Loch in der Torwand an, stieß den Ball diesmal mit der Fußspitze, in der Hoffnung, er würde zielgenau unten rechts durch die Öffnung kullern. Stattdessen segelte der Ball weit rechts außen an der Torwand vorbei.

Lennart kicherte. »Wieder nicht mal die Torwand getroffen. Immer noch 3:0 für mich.«

Lennart hatte seine drei Schüsse unten zielgenau versenkt, während Michael jetzt das dritte Mal danebengehauen hatte.

»Das war Pech!«, behauptete Michael. Und erntete erneutes Gelächter von Lennart.

»Ja,« lästerte der. »Pech, dass du nicht Fußball spielen kannst.«

Die beiden vertrieben sich

die Zeit auf dem Schulhof mit einem Spiel auf die Torwand, während sie auf Ilka und Linh warteten, die sich am Schwarzen Brett noch einige Trainingstermine abschreiben wollten. Danach ging es schnurstracks ins Schwimmbad. Es war der erste heiße Tag im Frühling. Und ein so strahlend blauer Himmel, dass sich sogar Frau Kick hatte erweichen lassen, die Kinder früher nach Hause zu schicken. Allerdings hatte Frau Kick diese Entscheidung nicht ganz uneigennützig getroffen. Denn auch sie fieberte darauf, bei diesem herrlichen Wetter für ihren Triathlon endlich mal nicht im Schwimmbad, sondern draußen im See zu trainieren.

Jabali war schnell nach Haus gelaufen, weil er als Einziger trotz des herrlichen Wetters nicht vorausgeahnt hatte, dass sie nach der Schule gemeinsam schwimmen gehen würden. So hatte er auch als Einziger kein Schwimmzeug dabei. Kurz hatte er überlegt, ob er überhaupt mitgehen oder lieber einen langen Lauf absolvieren sollte. Aber dann hatte er sich doch breitschlagen lassen.

Lennart traf gerade mit dem ersten von drei Schüssen oben links das Loch, als die Mädchen ankamen.

Michael klemmte sich den Ball unter den Arm.

»Glück gehabt«, prahlte er. »Oben hätte ich alle
drei versenkt.«

»Klar«, nickte Lennart ihm schmunzelnd zu.
»Dann hätte ich aber immer noch 4:3 gewonnen.
Du schuldest mir ein Eis.«

Michael winkte ab. Er wusste, dass Lennart ohnehin lieber eins von Jabalis selbst gemachtem Eis statt eines gekauften essen würde. So kam Michael um die Einlösung seiner Wettschulden elegant herum.

Die vier schwangen sich auf ihre Räder und sausten durch die Stadt zum Freibad. Am Fußballplatz mussten sie abbiegen.

»Mann!«, stöhnte Michael. »Wie kann man bei dem Wetter Fußball spielen, statt schwimmen zu gehen?«

Die Mädchen sahen sich kurz an und schüttelten lachend die Köpfe. Als ob Michael es nicht selbst wüsste. Schließlich fand er auch nichts dabei, bei jedem Wetter Sprints, lange Läufe und Kraft zu trainieren. Er war ein begeisterter Zehnkämpfer. Da blieb so gut wie kein Tag ohne Training. Selbst an diesem Tag würde er nach dem Badespaß im Schwimmbad noch eine Krafteinheit einlegen. Nicht nur deshalb fieberte Michael darauf, so schnell wie möglich ins Wasser zu kommen.

Aber vor dem Schwimmbad mussten sie erst noch auf Jabali warten.

Michael murrte deshalb schon, noch während sie ihre Räder anschlossen.

»Oh Mann!«, meckerte er. »Nur weil Jabali bestimmt wieder läuft, statt das Rad zu nehmen, müssen wir uns hier die Beine in den Bauch stehen.«

Jabali nutzte wirklich stets jede Strecke als Lauftraining. Aufs Rad stieg er nur, wenn er speziell für Radrennen trainierte. Umso ungewöhnlicher war es, als Ilka ihn auf der gegenüberliegenden Straßenseite aus dem Bus aussteigen sah.

»Was ist denn mit dem los?«, wunderte sie sich. »Hat er sich etwa verletzt?«

Auch Linh und die beiden Jungs schauten besorgt hinüber zu Jabali. Wenn Jabali den Bus nahm, musste etwas Schreckliches passiert sein.

Doch Jabali rannte – wie immer in Laufkleidung und nachdem er sich sorgsam vergewissert hatte, dass die Straße frei war – flink und leichtfüßig über die Straße auf seine Freunde zu. Ungewöhnlich war nur, dass er ihnen dabei heftig zuwinkte.

Was hat der denn?, fragte sich Lennart.

»Hey!«, rief Jabali ihnen schon von Weitem zu. »Ich muss euch was erzählen!«

»Deine Eismaschine ist kaputt«, vermutete Michael. Jabali war berühmt für sein selbst gemachtes Eis. Die Eismaschine in der Küche seiner Eltern nutzte er fast täglich.

Jabali winkte ab. »Quatsch!«

Er griff in seine Sporttasche, die über seiner Schulter hing, knisterte in einer speziellen Plastiktüte für Tiefgefrorenes herum und fischte für jeden seiner Freunde ein Eis am Stiel heraus. Auch selbst gemacht, wenngleich ebenso ungewöhnlich wie sein gesamter Auftritt. Normalerweise gab es bei Jabali nur Kugeleis oder aufwendige Eiskunstwerke.

»Südafrika!«, rief Jabali.

Michael betrachtete sein Eis voller Skepsis. »Aus Südafrika?«, fragte er. »Dafür ist es aber noch gut gefroren.«

Jabali schüttelte ungeduldig den Kopf. »Unsinn! Wir können hinfliegen!«

Erwartungsvoll schaute er in die Gesichter seiner Freunde und wunderte sich, weshalb sie nicht vor Freude in die Luft sprangen.

»Nun mal langsam«, versuchte Linh ihn zu beruhigen. »Und erzähl mal der Reihe nach. Wer fliegt nach Südafrika?«

»Die Fußballnationalmannschaft«, warf Lennart ein. »Aber erst im Juni. Dieses Jahr ist doch Fußball-WM.«

Jabali nickte aufgeregt. »Genau.«

Michael verzog schon wieder das Gesicht. »Und deshalb machst du so einen Aufstand? Stell dir vor, das wussten wir schon.«

Jabali versuchte, seine Gedanken zu sortieren und seine Neuigkeit verständlicher zu erklären. »WIR können nach Südafrika fliegen. Schon in zehn Tagen.«

»Oh, Glückwunsch«, gratulierte Ilka ihm, in der Annahme, Jabali spreche von seiner Familie, die ihren Urlaub dort verbringen würde. »Dann müssen wir in den Pfingstferien wohl ohne dich auskommen«, stellte sie enttäuscht fest.

»Nein, nein!«, rief Jabali aufgeregt. »Also«, begann er nun endlich der Reihe nach und berichtete, dass es in Südafrika verschiedene Sozialprojekte gäbe, die mit Fußballspielen Straßenkindern halfen. Im Vorfeld der WM lud nun eine Organisation solcher Projekte einige Fußballmannschaften, Schulen und so weiter aus der ganzen Welt

ein, an einem internationalen Jugendfußballtur-
nier in Südafrika teilzunehmen.

Michael, Lennart, Linh und Ilka nahmen diesen
Bericht still zur Kenntnis. Sie ahnten noch nicht,
was dieses Turnier mit ihnen zu tun haben sollte.

»Und ihr wisst ja«, berichtete Jabali weiter,
»dass mein Vater hier im südafrikanischen Kon-
sulat arbeitet.«

Seine Freunde nickten. Sie wussten auch von
Jabalis Mutter, die hier in Deutschland als Journa-
listin für verschiedene Zeitungen und sogar fürs
Fernsehen in Südafrika arbeitete.

»Und beide haben vor und während der WM direkt in Südafrika beruflich zu tun«, erzählte Jabali.

Ilka verstand. Klar, dass die Eltern da ihre Kinder mitnahmen. So würden Jabali und sein Bruder
Rasul nach Südafrika kommen. »Glückwunsch«,
wiederholte sie. Und gab ehrlich mit ein wenig
Fernweh zu: »Da würde ich auch gern mitkom-
men.«

»Aber das ist es doch!«, rief Jabali aus. Fast wäre
ihm das Eis aus der Hand gefallen, so wild gestikulierte er mit den Armen. »Ihr kommt
mit!«

»Hä?«, fragte Lennart.

Michael wollte sich schon

verwirrt am Kopf kratzen. Gerade noch rechtzeitig fiel ihm ein, dass er ein Eis in der Hand hatte.

Endlich ließ Jabali die Katze aus dem Sack und zog seine Überraschung aus der Hosentasche: eine feine, auf Karton gedruckte Einladungskarte.

»Hier!«, präsentierte er stolz. »Dies ist eine Sondereinladung an unsere James-Conolly-Schule, an dem Turnier teilzunehmen!«

»Aber wir sind doch nur Fußballfans! Wir spielen doch gar nicht Fußball«, stellte Linh fest. Ein wenig Enttäuschung lag in ihrer Stimme. Gern wäre sie mit nach Südafrika geflogen. Doch Jabali konnte sie sogleich beruhigen.

»Wir sind nicht als Mannschaft eingeladen, sondern als Abordnung unserer Sport-Schule«, erklärte er. »Sozusagen als special guests oder VIPs, *Very Important Persons*!«

An dem Grinsen in seinem Gesicht erkannte Linh, dass Jabalis Vater als diplomatischer Mitarbeiter des Staates Südafrika bei der Einladung wohl ein bisschen mitgeholfen hatte.

»Und wer wäre eine bessere Abordnung unserer Schule als wir?«, fragte Jabali.

Unter den Fünf Assen brach ein riesiger Jubel aus. So laut, dass andere Kinder, die ins Schwimmbad gingen, sich erstaunt nach ihnen umdrehten.

Südafrika

Der Anflug auf Johannesburg war enttäuschend. Erst wenige Minuten vor der Landung durchbrach die Maschine eine dichte Wolkendecke und der Blick auf die Stadt wurde endlich frei. An so einem Tag schienen die riesigen Hochhäuser wirklich an den Wolken zu kratzen und wurden zu Recht Wolkenkratzer genannt. Lennart wunderte sich. Diese Stadt am anderen Ende der Welt glich aus dieser Höhe den Bildern, die er von New York kannte. Im Zentrum erhoben sich majestätisch und hoch gigantische Glasbauten mit glänzenden Fassaden, am Rand der Stadt prägten eintöniger Beton und Holzbaracken das Bild.

»Welcome in Johannesburg!«, begrüßte eine Stewardess die Fluggäste wenige Sekunden später, als die Maschine schon wie ein riesiger verirrter Vogel auf der Landebahn rollte.

Das Gewusel, das die Fünf Asse in der Flughafenhalle erwartete, war enorm. Wie von selbst hielten sich die Fünf Asse an den Händen, damit sie sich in diesen Menschenmassen nicht verloren. Jabalis Vater hatte Rasul an der Hand und lächelte beruhigt, als er die Fünferkette sah. Er und seine Frau kannten sich hier gut aus und lotsten die fünf und Jabalis Bruder auf dem kürzesten Weg zur Gepäckausgabe. Auch hier war noch keine Gelegenheit, sich umzuschauen. Denn der Blick der Freunde richtete sich wie gebannt auf das Gepäckband und prüfte blitzschnell, ob gerade einer ihrer Koffer oder Rucksäcke ausgespuckt wurde. Linh lief zielsicher zu ihrer riesigen Sporttasche, die sie mit ihrem alten orangenen Judogürtel gesichert hatte. Michael wartete am ungeduldigsten auf seinen Rucksack. Nach elf Stunden Flug waren seine Beine taub, seine Augenlider schwer und er fühlte sich matt wie nach einem Wettkampf. Schweiß klebte an seinem Körper, als hätte man seine Kleidung einmal durch Sirup gezogen. »Moment mal! Das ist meiner!«, rief Michael mindestens dreimal, weil er glaubte, in den vorbeiziehenden Rucksäcken seinen erkannt zu haben. Bis er jedes Mal enttäuscht feststellte, dass es doch ein anderer war.

Doch ausgerechnet sein Rucksack ließ auf sich warten. Alle übrigen Passagiere hatten die An-

kunftshalle längst Richtung Innenstadt verlassen.
Nur Michaels Freunde, Rasul und Jabalis Eltern standen noch da und warteten ebenfalls unruhig auf Michaels Gepäck.

»Ich glaube, der kommt nicht mehr«, mutmaßte Lennart und machte Michael noch nervöser.

Michael stellte sich vor, wie er die nächsten 14 Tage in Südafrika überstehen sollte, wenn sein Rucksack verschwunden wäre. Die vergangenen zehn Tage waren auch so schon turbulent genug gewesen. Erst hatten sie ihre Eltern überzeugen müssen, gewissermaßen »allein« nach Südafrika reisen zu dürfen. Wenngleich natürlich Jabalis Eltern dabei waren und sie hier in Johannesburg sofort in dem Fußball-Jugendlager von Erwachsenen betreut wurden. Nachdem alle mühsam, aber erfolgreich, ihre Genehmigungen eingeholt hatten, ging der Behördenkampf los, um die Kinderausweise und Visa zu besorgen. Nur mithilfe von Jabalis Vater hatte die knappe Zeit dafür ausgereicht. Zum Glück waren keine Impfungen vorgeschrieben. Und die Jahreszeit, in denen in bestimmten Gebieten eine erhöhte Malaria-Gefahr herrschte, ging auch dem Ende zu. Mit zwanzig Grad herrschte draußen eine angenehm milde Temperatur, von der die Kinder aber noch nichts spürten.

Und dann, als schon niemand mehr daran glaubte – am allerwenigsten er selbst –, erschien endlich doch noch Michaels Rucksack auf dem Gepäckband.

Michael machte direkt einen Freudensprung. Obwohl sein Rucksack so schmutzig und zerzaust aussah, als hätte er schon ohne seinen Besitzer eine kleine Safari-Tour hinter sich gebracht. Vermutlich war er zwischendurch einfach nur vom Gepäckwagen gefallen.

Hinter der Zollgrenze erwartete die Kinder ein pompöser Empfang, der sie sofort für die lange Wartezeit entschädigte. Jabalis Onkel und dessen gesamte Familie standen in der Eingangshalle, feierlich in bunte Stoffe gekleidet, und hielten zur Begrüßung ein großes Transparent in die Höhe, auf dem erstaunlicherweise die »*Funf Ase herrlich will komen*« geheißen wurden. Alle hielten eine seltsam geformte Plastiktröte in der Hand und tuteten damit los.

»Siehst du? Vuvuzelas!«, sagte Jabali mit ehrfürchtigem Ton und zeigte auf die Tröten.

»Uwe Seeler?«, fragte Michael überrascht. Was um alles in der Welt hatte der Fußball-Opa

aus Hamburg hier auf dem Flughafen zu suchen?

»Mein Onkel hat sogar noch ein echtes Horn von einer Kudu-Antilope!«, antwortete Jabali aufgeregt und ließ den Blick nicht von seinen Verwandten.

Michael verstand immer noch nicht.

Nicht nur wegen der Schreibfehler erkannte Jabali sofort, dass das Transparent von seinen Cousins und Cousinen geschrieben worden war. Rund um den Schriftzug rankten sich bunte Kinderbilder mit Fußbällen, symbolisierten Sportarten, aber auch wilden Tieren, wunderschönen Palmen und einer fetten, gelben Sonne. Michael und Ilka waren die Schreibfehler völlig schnuppe. Sie freuten sich, hier in Südafrika endlich wieder in ihrer Muttersprache Englisch reden zu können.

Einer seiner Cousins war genauso alt wie Jabali. Ihre Geburtstage lagen nur eine Woche auseinander. Kaum erspähte er Jabali, übergab er die Stange des Transparents einem seiner älteren Brüder, rannte auf Jabali zu, sprang ihm förmlich um den Hals und führte sofort einen wilden Freudentanz auf.

Michael, Lennart, Linh und Ilka schauten fasziniert und amü-

siert zu, wie Jabali und sein Cousin über den glatt polierten Boden der Ankunftshalle fegten wie bei einem Salsa-Wettbewerb. Als das Tanzpaar an den verbliebenen vier Assen vorbeihuschte, stoppte Jabali abrupt und machte seinen Cousin und seine besten Freunde miteinander bekannt: »Das ist Ajani.«

Ajani gab jedem freundlich die Hand und strahlte sie dabei an, als wären sie ebenfalls schon seit Jahren befreundet.

Ilka gefiel die herzliche Art von Jabalis Cousin, besonders seine großen, wachen, intelligenten dunkelbraunen Augen. Das breite Lachen, das seine Zähne strahlen ließ. Und sogar die deutlich zu groß geratenen Ohren gefielen Ilka, denn Ajani hatte keine verschämten Versuche unternommen, sie zu verstecken. Im Gegenteil. Er hatte seine Haare fast zu einer Glatze kurz geschoren, sodass die Größe seiner Ohren noch gewaltiger wirkte.

Verwundert war sie, dass Ajani sie in gutem Deutsch empfing und nicht, wie sie gedacht und sogar gehofft hatte, in der Landessprache Englisch.

Ilka grinste ihn an, grüßte in fließendem australischen Englisch zurück und fragte, woher Ajani Deutsch spreche.

»Genau wie du«, antwortete er auf Englisch. »Ich hab's einfach gelernt.«

Jabali erklärte, dass Ajani in der Familie den Spitznamen »Doc« verpasst bekommen hatte, weil er nicht nur außerordentlich schlau, sondern auch außerordentlich lernbegierig war. Michael verzog gleich das Gesicht, sein Lerneifer hielt sich in Grenzen. Aber Linh und Ilka strahlten.

»So«, unterbrach Jabalis Onkel – Ajanis Vater – die Begrüßung. »Wir wollen hier nicht übernachten. Wir gehen erst mal ein großes Eis essen, dann fahren wir euch in die Unterkunft.«

Michael, Lennart, Ilka und Linh lachten laut auf. Die Liebe zum Speiseeis lag offenbar in Jabalis Familie.

»Aaaaachtung!«, rief Lennart aufgeregt von der hintersten der drei Sitzbänke, als Jabalis Onkel auf die Autobahn fuhr. Er drehte sich hektisch in alle Richtungen.

»Was ist denn?«, fragte Michael. Er verstand nicht, wen Lennart mit seinem Ausruf warnen wollte und wovor.

»Moment mal ...«, murmelte Lennart jetzt leise und schaute

sich verwirrt um. Irgendwas war falsch. Er wusste nur nicht, was.

»Was ist denn?«, wiederholte Michael ungeduldig und ohne seinen Blick von den vielen Autos, die auf vier Spuren in die Stadt hinein- und auf vier Spuren aus der Stadt herausfuhren, zu lösen.

»Ach, klar!« Jetzt fiel es Lennart endlich auf. In Südafrika herrschte Linksverkehr! Darum fühlte er sich anfangs irgendwie fehl am Platz, auf der falschen Seite, auf der falschen Spur, auf der falschen Straße.

Für Ilka und Linh war das nichts Besonderes. In ihren Heimatländern, Australien und Vietnam, fuhr man auch auf der linken Straßenseite.

»Wie in England! Nicht schlecht, oder?«, strahlte Michael, der das schon mal in London erlebt hatte.

Lennart war der Einzige, der sich noch eine ganze Weile unbehaglich fühlte.

Als die fünf das Jugendlager schließlich erreichten, war ihre Müdigkeit von der langen Reise wie weggeblasen. Viel zu viele neue und aufregende Eindrücke waren auf sie eingeprasselt. Die breiten Straßen mitten in der Stadt, die Menschenmassen, die sich überall ihren Weg zwischen den Autos bahnten, riesige Werbetafeln, schicke Läden und heruntergekommene Einkaufsbuden, pompöse

Springbrunnen zwischen modernen Bauten aus glänzendem Granit, tonnenweise Müll an den Straßenrändern. Und dazwischen immer wieder Männer in Uniform. Mal in blau, mal in braun, mal in schwarz.

Der kleine Bus, den Ajanis Vater extra ausgeliehen hatte, um die Kinder vom Flughafen abzuholen, setzte sie auf dem Gelände eines nagelneu gebauten Sportzentrums für Jugendliche ab.

»Das ist bei den ganzen Arbeiten für die Fußball-WM mit herausgesprungen«, erklärte Ajanis Vater. »Es hat einige Diskussionen gegeben, weil es sehr teuer war. Aber schließlich haben sich die lokalen Sportvereine durchgesetzt und so konnte dieses Sportzentrum vor zwei Monaten eingeweiht werden.«

Er schaute vom Lenkrad kurz nach hinten zu den Kindern auf den Rückbänken. »Deshalb seid ihr auch hier. Im nächsten Jahr werden fünf Schüler aus diesem Sportzentrum im Gegenzug eure Schule in Deutschland besuchen.«

»Echt?«, freute sich Jabali. Das hatte er noch gar nicht gewusst. Und natürlich knüpfte sich an diese Neuigkeit sofort die Hoffnung, dass sein geliebter Cousin Ajani einer dieser fünf sein würde.

»Wieso Sportzentrum?«, wunderte sich Lennart. »Ich dachte, hier ist ein Fußballzentrum?«

Ajanis Vater schüttelte den Kopf. »Nur jetzt in Vorbereitung der WM und zur Durchführung des internationalen Turniers nutzen wir die Quartiere für die Jugendfußballmannschaften. Nach der WM wird dies eine allgemeine Sportschule. So ähnlich wie eure.«

»Wow!«, rief Michael begeistert. Fußball gehörte wahrlich nicht zu seinen besten Sportarten.

Ajanis Vater hielt den kleinen Bus an. »So, da sind wir. Dort ist euer Quartier!«

Ilka aber zeigte zur anderen Seite aus dem Fenster. »Schaut mal!«, rief sie aufgeregt.

Ein riesiges Becken lud mit herrlich blauem Wasser zum Schwimmen ein.

Auch Michael bekam sofort große Augen. »Mit Zehner!«

»Ihr werdet hier noch mehr finden«, versprach Ajanis Vater. »Aber erst mal bringen wir euer Gepäck in eure Zimmer. Und dann zeige ich euch die Fußballplätze.«

»Fußballplätze?«, fragte Ilka. »Och, wieso nicht das Schwimmbad?«

»Weil wir hier zu einem internationalen Fußballturnier eingeladen sind«, erinnerte Lennart. Er
freute sich schon sehr darauf. Wenn die Fußballplätze nur halb so viel hergaben wie das schicke
Schwimmbad, dann mussten sie grandios sein. Er
bedauerte sehr, dass sie nur als Besucher und nicht
mit einer eigenen Fußballmannschaft angereist
waren. Andererseits hätte er dann auf seine besten
Freunde verzichten müssen. Denn keiner von ihnen – außer ihm selbst – spielte gut genug Fußball,
um bei einem Turnier bestehen zu können.

Die Fünf Asse und Jabalis Cousins sprangen aus
dem Bus, luden das Gepäck aus und schleppten es
durch die gläserne Eingangstür, die sich von selbst
öffnete.

Drei Jungs mit Bällen in den Händen und im
Fußballdress kamen ihnen entgegen.

»Hi!«, rief Lennart ihnen zu.

Die drei Jungs grüßten stumm zurück, indem
sie nur kurz die Hände anhoben.

»Wohnt ihr auch hier?«, fragte Lennart.

»Nee!«, kicherte Michael. »Die leben auf dem
Mond und sind hier nur zu Besuch!
So eine blöde Frage!«

Lennart überhörte Michaels
spitze Bemerkung und wartete

lieber auf eine Antwort der drei, die ihn aber nur stumm ansahen.

»Die verstehen dich nicht«, begriff Michael. Und übernahm die Begrüßung auf Englisch. Endlich konnte er mal groß gegen Lennart auftrumpfen. In allen Schulfächern hinkte er Lennart weit hinterher, außer in seiner Muttersprache: Englisch. Endlich wusste er mal etwas besser und Lennart, der Fremdsprachen am liebsten aus dem Unterricht verbannt hätte, war voll und ganz auf Michael angewiesen.

Doch die drei verstanden Michael trotzdem nicht.

Ilka sprach auch nur Englisch, ebenso wie Jabali und Ajani. Und Linh brauchte es mit ihrem Vietnamesisch gar nicht erst probieren. Woher auch immer die drei kamen, mit Sicherheit nicht aus Asien.

»Olá! Como está?«, grüßte einer zurück.

»Oh, Spanier!«, glaubte Ilka.

Die drei Jungs zogen weiter, ohne noch etwas zu sagen.

»Das war Italienisch«, behauptete Lennart.

Ajanis Vater kam mit den letzten beiden Gepäckstücken hinterher und rief den Kindern zu: »Ah, habt ihr schon Freundschaft mit unseren Brasilianern geschlossen?«

Alle fünf und Ajani lachten laut los. Und bezo-
gen endlich ihr Quartier.

Außer den Brasilianern nahmen noch Mannschaften aus Italien, Spanien, China, USA und Ghana an dem Turnier teil. Und natürlich das Gastland
Südafrika. Auch eine deutsche Mannschaft war
dabei.

»Ich wusste gar nicht, dass es in unserer Altersklasse schon Nationalmannschaften gibt«, wunderte sich Linh, als Ajani ihnen die Länder auf-
zählte.

Ajani gehörte zur südafrikanischen Mannschaft, die hier im Sportzentrum nur trainierte
und spielte, nicht aber wohnte. Alle Spieler der
Mannschaft kamen aus Johannesburg. So konnten
sie alle auch ebenso gut zu Hause übernachten.
Wenngleich Ajani das sehr bedauerte. Er wäre
über Nacht gern in dem internationalen Camp geblieben.

Ajani führte Jabali und dessen Freunde zu den
Fußballplätzen und erzählte weiter, wie sich die
Mannschaften zusammensetzten: »Es sind Schul-
mannschaften aus der ganzen Welt.
Wie mein Vater schon gesagt hat,
es geht hier nicht nur um Fußball, sondern um den Beginn ei-

nes sportlichen Schüleraustausches für die nächsten Jahre.«

»Super Idee!«, fand Ilka. »Wer hatte die?«

Ajani blieb stehen und konnte seinen Stolz nicht verhehlen. »Mein Vater!«

Mit einem Blick auf Jabali ergänzte er: »Als mein Vater hörte, auf was für eine Schule Jabali bei euch in Deutschland geht, fand er, so etwas müsste man hier auch machen.«

»Da hat er recht!«, stimmte Michael eifrig zu, der trotz vieler und großer Schwierigkeiten in den unterschiedlichsten Fächern seine Schule wahnsinnig mochte.

Lennart klopfte Jabali anerkennend auf die Schulter. »Mensch, Jabali. Dann bist du gewissermaßen der Erfinder dieser Einrichtung.«

Jabali winkte ab. So fühlte er sich ganz und gar nicht.

»Kommt!« Ajani setzte seinen Weg fort. »Die Deutschen trainieren gerade. Morgen beginnt das Turnier.«

Oh nein!

Die fünf folgten Jabalis Cousin, bogen um die Ecke der Sporthalle, hinter der sich die Fußballfelder befanden, und ... Michael blieb stehen, als wäre er gerade gegen eine Wand gelaufen. Die anderen hatten noch gar nicht erkannt, was ihm da soeben in die Augen gesprungen war.

»Da-das ... ka-kann ... doch nicht sein!«, stotterte Michael vor Staunen, vor allem aber vor Entsetzen.

»Was?«, fragte Linh ungerührt.

Michael zeigte auf den Platz, als ob da nicht ein Dutzend Jungs, sondern eine Horde gefährlicher Rhinozerosse mit dem Ball herumbolzte.

Linh schaute genauer hin und hatte plötzlich das Gefühl, als hätte sie einige der Jungs schon mal gesehen.

Lennart musterte die spielenden Jungs mit kritischem Blick. Ihm dämmerte, was Michael so erschreckt hatte.

Ilka erkannte nun auch einen der Jungs und sprach aus, was Michael im Halse stecken geblieben war: »Die Grünheimer!«

»Was?«, fragte Ajani, der nichts verstand.

Jabali erklärte es ihm: »Die Jungs dort sind aus Grünheim. Ein Nachbarort von uns!«

»Oh, ihr kennt euch?«, staunte Ajani. »Wonderful! Prima! Prima!«

Michael starrte Ajani fassungslos an. »Wonderful? Prima? Was soll denn daran wonderful sein?«, bölkte er los.

Jabali trat schnell einen Schritt zwischen ihn und den erschrockenen Ajani.

Lennart stürzte sich auf Michael und hielt ihn zurück.

Ilka bemühte sich, Ajani zu erklären, wer die Grünheimer waren: nicht nur Kinder aus der Nachbarstadt, sondern von einer Sportschule wie ihrer. Und seit Jahren in allen Wettkämpfen ihre größten Rivalen. Ein Lokalderby zwischen Borussia Dortmund und Schalke 04 war nichts dagegen.

»Wie kommen die hierher?«, schrie Michael entsetzt. Wie sollte man zwei Wochen unbeschwert Ferien machen, wenn man die Grünheimer an seiner Seite hatte?

Ajani war untröstlich. Er hatte gehofft, die Fünf Asse würden sich freuen, andere Schüler aus ihrer Heimat hier zu treffen.

»Nicht gut, die Grünschleimer?«, fragte er, ohne seinen Versprecher zu bemerken.

Michaels Gesicht hellte sich auf. »Grünschleimer? Doch, das war gut!«

Aber seine Laune verbesserte sich nur für wenige Sekunden. Zu groß war der Schock, den Grünheimern hier, knappe 9 000 Kilometer von zu Hause entfernt, zu begegnen. Als wäre das alles noch nicht schlimm genug, erspähte Michael unter den Grünheimern auch noch Tom, seinen Erzrivalen im Mehrkampf. »Was macht der denn hier?«, schnaufte Michael verärgert. »Der kann doch überhaupt nicht Fußball spielen!«

»Du doch auch nicht«, kicherte Lennart.

Doch Michael war überhaupt nicht nach Scherzen zumute. Auch seine Freunde waren nicht besonders gut auf die Grünheimer zu sprechen, aber so eine extreme Abneigung wie Michael verspürte niemand. Lennart, Jabali, Linh und Ilka gelang es, wesentlich gelassener mit der Anwesenheit der Grünheimer umzugehen.

»Wir könnten wenigstens Hallo sagen«, schlug Linh vor.

»Niemals!«, entgegnete Michael sofort.

Linh verzog das Gesicht. Michaels rabiate und pauschale Ablehnung der Grünheimer ging ihr erheblich gegen den Strich.

»Wir sind hier auf einer Sportveranstaltung«, zischte sie böse. »Und wir sind Gäste. Da können wir uns ja wohl auch anständig benehmen, wie es sich für Gäste gehört!«

Michael wollte gerade widersprechen. Doch eben noch rechtzeitig sah er die vorwurfsvollen Blicke seiner Freunde. »Na gut, wenn es sein muss.«

Auch die Grünheimer waren alles andere als erfreut, die Fünf Asse hier zu treffen. Anders als diese hatte man sie allerdings vorher informiert. Und so zeigten sich die Grünheimer zwar nicht wirklich herzlich, aber doch einigermaßen höflich.

Trotzdem spürte Ajani, dass es zwischen den Kontrahenten erheblich brodelte, wie ein Topf mit kochendem Wasser, der jeden Moment übersprudelte.

Nachdem ein paar äußerst unterkühlte Begrüßungsfloskeln ausgetauscht waren, zog Ajani die Fünf Asse schnell weiter.

»Dort hinten trainieren die Brasilianer. Wollen wir hin?«

»Ja!«, riefen alle Fünf Asse wie aus einem Mund.

Keiner hegte das Bedürfnis, länger als nötig bei den Grünheimern zu verweilen.

Nur einen Platz weiter sahen die Fünf Asse die drei Jungs wieder, denen sie am Eingang der Unterkunft begegnet waren.

Während die Grünheimer gerade damit begonnen hatten, ein hartes Konditionstraining zu absolvieren, spielten die Brasilianer mit dem Ball.

Die eine Hälfte der Mannschaft stand etwas abseits, damit jeder Spieler genügend Platz hatte, allein mit dem Ball zu jonglieren. Offenbar war ihnen die Aufgabe gestellt worden, den Ball so lange wie möglich in der Luft zu halten. Lennarts Augen begannen zu strahlen. Jonglieren! Lennarts liebstes Hobby und große Stärke. Ohne lange zu fragen, rannte er zu den Brasilianern auf den Platz, schnappte sich einen der herumliegenden Bälle, zog ihn mit der Sohle zurück und lupfte ihn dann mit der Fußspitze hinauf auf seinen Oberschenkel, von dort weiter hoch, sodass er ihn mit dem Kopf jonglierte. Vier-, fünfmal stieß er ihn mit der Stirn nach oben, dann plötzlich ließ er seinen Kopf nach vorn fallen und der Ball kam in seinem Nacken zur Ruhe.

Einige der brasilianischen Jungs unterbrachen ihre Übung. Manche, weil sie sich wunderten, was das fremde Bleichgesicht plötzlich zwischen ihnen zu suchen hatte. Andere warfen Lennart anerkennende Blicke zu. Und sofort, ohne auch nur ein einziges Wort zu wechseln, begannen sie mit einem Austausch ihrer besten Tricks. In nur wenigen Sekunden hatte sich in stillem Einverständnis ein Kreis gebildet, in dem die Jungs sich der Reihe nach ihre Kunststücke vorführten.

Obwohl die brasilianischen Jungs ein unglaubliches Ballgefühl an den Tag legten, konnte Lennart spielend mithalten. Anerkennend applaudierten die Jungs sich gegenseitig, wenn einem von ihnen ein besonders schwieriger Trick gelungen war.

»So!« Ilka klatschte einmal laut in die Hände und stellte mit einem Lächeln im Gesicht fest: »Lennart hat neue Freunde gefunden und ist für den Rest der zwei Wochen beschäftigt. Und was machen wir?«

»Ich stelle euch meine Mannschaft vor«, schlug Ajani mit einem Blick auf seine Uhr vor. »Das Training fängt gleich an.«

»Oh ja!« Jabali freute sich riesig darauf, die Freunde seines Cousins kennenzulernen.

Zwischenfall

Auf dem ersten Platz trainierten die Grünheimer, auf Platz zwei die Jungs aus Brasilien. Auf dem dritten und damit letzten Platz der Sportanlage sollten jetzt die Gastgeber trainieren. Die ersten Jungs standen auch schon bereit, als Ajani und seine Gäste den Platz erreichten.

Jabali war vor lauter Spannung, endlich Ajanis Freunde kennenzulernen, schon ganz zappelig. Und auch Linh, Ilka und Michael freuten sich auf neue Bekanntschaften. Nur Lennart war zurückgeblieben und spielte noch immer mit den Brasilianern, hatte aber versprochen, später nachzukommen.

Michael warf einen Blick auf den Platz und erkannte sofort: »Da stimmt etwas nicht!«

Um das zu erkennen, musste man allerdings auch nur mindestens bis elf zählen können. Die Mannschaft war nicht vollzählig. Diese Tatsache allein hätte Michael sicher nicht so sehr stutzen lassen. Es konnte immer mal vorkommen, dass der eine oder andere sich verspätete. Ajani selbst fehlte ja auch noch, weil er die Fünf Asse betreute und begleitete. Aber hier standen gerade mal sieben Spieler auf dem Platz. Das hätte so eben für eine Hallenfußballmannschaft inklusive Ersatzspieler gereicht, aber doch nicht für eine normale Fußballelf draußen auf dem Platz. Auch Ajani stutzte, als er das kleine Häufchen seiner Mitspieler sah. Und vor allem als er bemerkte, dass die sich nicht warm machten, sondern mitten auf dem Platz im Kreis saßen und ihrem Trainer lauschten, der in der Mitte stand und den Jungs irgendetwas mitteilte. Das war das zweite Auffällige: Ganz offensichtlich hielt der Trainer keine Ansprache, gab keine Anweisungen oder Tipps, machte keine Spielanalyse. Vielmehr wirkte der Trainer selbst etwas ratlos, wie er da in der Mitte stand, seinen Jungs in die Augen sah und jetzt – so schien es Michael – überhaupt nichts mehr sagte. Auch nicht gestikulierte. Der Trainer stand einfach nur da. Und schaute ratlos in die Runde.

Michael wiederholte: »Da stimmt etwas nicht!«

Ajani warf ihm einen sorgenvollen Blick zu. Und nickte. »Ich befürchte, da hast du recht.«

Ajani lief voraus zu seinen Mannschaftskamera-

den. Michael und seine Freunde sahen ihm hinterher.

»Was meint ihr, was da los ist?«, fragte Jabali bedrückt.

Ilka und Linh hatten keine Idee. Aber sie teilten Michaels Eindruck. Zumindest im Vergleich zu den anderen Mannschaften wirkten Ajanis Mitspieler irgendwie niedergeschlagen, so als hätten sie gerade eine schlimme Nachricht erhalten.

»Vielleicht wurden sie aus dem Turnier ausgeschlossen oder so«, mutmaßte Michael.

»Wieso das denn?«, entfuhr es Jabali heftiger als er gewollt hatte.

Michael zuckte mit den Schultern. »Ich weiß auch nicht. Nur so ein Gedanke. Was soll denn sonst passiert sein?«

Je mehr sie sich Ajanis Mannschaft näherten, desto langsamer gingen sie. Sie trauten sich nicht, in die kleine Runde hineinzuplatzen. Aber sie spürten deutlich die bedrückte Stimmung. Mit einem netten Kennenlernen von Ajanis Freunden würde es wohl nichts werden, vermutete Jabali. Und es machte ihn ein wenig traurig. Noch mehr aber sorgte er sich um seinen Cousin.

Ajani schien Jabalis Gedanken gehört zu haben. Denn in dem Augenblick drehte er sich um, wandte sich den Fünf Assen zu und führte sie ein wenig von seinen Mannschaftskollegen fort.

Von der anderen Seite kam Lennart angelaufen.

»Da seid ihr ja, amigos«, rief er und prahlte gleich mit seinem neu gelernten Wort für Freunde auf Portugiesisch. »Mann, ist das Gelände groß. Ich hatte schon Angst, euch zu verlieren!«

Michael verdrehte die Augen. »Platz eins, Platz zwei ...«, zeigte er mit der Hand an. »Und hier ist Platz drei. Was ist denn daran schwer?«

Nicht nur in Sprachen, auch im Orientierungssinn hinkte Lennart ausnahmsweise mal Michael hinterher.

Lennart drehte sich um. »Ja, jetzt, wo du es sagst. Stimmt.« Er holte Luft und wollte von seinem tollen Erlebnis mit den Brasilianern berichten. »Stellt euch vor, die ...«, begann er aufgeregt. Doch dann spürte er, dass irgendwas in der Luft lag. »Was ist los?«

»Das wollte uns Ajani gerade erklären«, weihte Linh Lennart ein.

Lennart verstummte, wechselte noch ein paar verwunderte Blicke mit seinen Freunden und war dann ganz Ohr.

»Uns fehlen drei Spieler«, berichtete Ajani.

Jabali nickte. »Das haben wir gesehen! Wo sind die? Im Stau stecken geblieben? Oder krank?«

Ajani zog ratlos die Schultern hoch. »Könnte man fast sagen.«

»Fast?«, fragte Michael. »Was ist denn fast krank?«

Damit konnte auch Ilka nichts anfangen. Entweder war man krank oder eben nicht. Doch an Ajanis Gesichtsausdruck erkannte sie, dass mehr dahintersteckte.

»Sie liegen im Krankenhaus«, erzählte Ajani.

Und Jabali quiekte laut auf. »Im Krankenhaus? Und das nennst du *fast* krank? Wie sieht bei dir denn einer aus, der richtig krank ist?«

Ajani winkte ab. »Sie haben keine Krankheit in dem Sinne«, korrigierte er. »Sie wurden brutal überfallen.«

Ilka stockte der Atem. Linh riss ihre Augen auf und hielt sich die Hand vor den Mund. Michael musste schlucken. Lennart hatte das Gefühl, nicht richtig verstanden zu haben. Und Jabali stöhnte: »Ach du Scheiße!«

Ajani berichtete, dass ein Großteil seiner Mannschaftskameraden in den ärmeren Stadtteilen

wohnte. In ganz Johannesburg gab es leider eine sehr hohe Kriminalität, aber in diesen Stadtteilen besonders. »In erster Linie natürlich gegen Touristen. Aber leider nicht nur.«

»Hallo?«, warf Michael ein. »Wir *sind* Touristen!«

Ajani wurde verlegen wegen seiner Formulierung. »So habe ich es nicht gemeint«, entschuldigte er sich.

»Hohe Kriminalität?«, wiederholte Linh. »Und dann habt ihr uns hierher eingeladen?«

»Das ist ja der Grund, weshalb es dieses Sport-Projekt überhaupt gibt«, verteidigte sich Ajani. »Die Jugendlichen sollen Sport treiben und nicht auf der Straße herumhängen. In den letzten Jahren ist die Kriminalitätsrate auch deutlich gesunken.«

Ilka tat Ajani richtig leid. Schließlich konnte er nichts für die Kriminellen. Und jetzt waren auch noch seine Freunde solchen Verbrechern in die Hände gefallen.

»Aber jetzt«, fuhr Ajani fort, »hat es unsere eigenen Leute erwischt. Sie sind wohl irgend so einer Straßenbande über den Weg gelaufen. Zum falschen Zeitpunkt am falschen Ort.«

»Na super!«, höhnte Michael. »Und was, wenn wir mal zum falschen Zeitpunkt am falschen Ort durch die Stadt gehen?«

Ajani erschrak. »Ihr wollt doch wohl nicht allein durch die Stadt gehen?«

Ilka und Linh winkten schnell ab.

Und Jabali ergänzte: »Johannesburg ist die gefährlichste Stadt Afrikas! Vielleicht sogar in der Welt!«

Die anderen Asse schauten ihn entgeistert an.

»Wie geht es deinen Freunden denn? Sind sie schwer verletzt?«, fragte Linh aufgewühlt, während sie krampfhaft versuchte, ruhig zu bleiben. Diese neuen Informationen schockierten sie. Und Ajani ging wie selbstverständlich davon aus, dass sie nicht allein durch die Stadt liefen, sondern nur in der Gruppe oder in Begleitung eines Erwachsenen. Das hatte sich Linh wahrlich anders vorgestellt.

Lennart hatte bis zuletzt gehofft, die Diskussion, die seine Freunde zum Teil auf Englisch führten, nicht richtig verstanden zu haben. »Gefährlichste Stadt der Welt« aber hatte er sofort kapiert. Noch bevor Ajani auf Linhs Frage nach den Verletzungen antworten konnte, stand für Lennart fest: »Ich setze hier keinen Fuß mehr vor die Tür!«

»Doch!«, widersprach Ajani.

»Das ist es doch, was ich euch die ganze Zeit sagen will.«

»Was?«, fragte Lennart nach. »Dass wir uns ausrauben lassen sollen?«

Ajani schüttelte den Kopf. »Nein, dass ihr in meiner Mannschaft mitspielen müsst. Wir haben keine weiteren Spieler mehr.«

»Was ist denn mit euren Ersatzspielern?«, fragte Lennart. Keine Mannschaft trat ein Turnier ohne Ersatzspieler an.

Ajani zog die Schultern hoch.

Lennart wartete weiter auf eine Antwort. Als er keine erhielt, wiederholte er seine Frage nach den Ersatzspielern.

»Ich weiß es nicht«, drückte Ajani sein Schulterzucken nun in Worten aus. »Und unser Trainer weiß es auch nicht. Sie sind einfach nicht gekommen.«

Lennart begriff nicht, was Ajani ihm damit sagen wollte. Hilflos schaute er zu seinen Freunden. Doch auch die guckten nur ratlos.

»Wie: nicht gekommen?« Auch Michael glaubte, etwas falsch verstanden zu haben.

Ajani wiederum wusste mit den Nachfragen seiner Gäste nichts anzufangen. Das war doch nicht schwer zu verstehen: Die Ersatzspieler waren einfach nicht erschienen. Punkt.

Lennart, Michael, Jabali, Linh und Ilka fiel gleichzeitig die Kinnlade herunter, als ob sie es für ein
Ballett geübt hätten.

Ein Sportler wurde für ein großes Sportereignis
auserwählt und eingeladen – und erschien dann
nicht? Für die Fünf Asse klang das wie ein Bericht
aus einer anderen Galaxie.

Nur Lennart erinnerte sich dunkel an einige
Fernseh- und Sportzeitschriftenberichte, in denen
deutsche Trainer, die afrikanische Nationalmannschaften trainierten, genau von diesen Problemen
berichteten.

»Aber die sind doch nominiert!«, betonte Linh
noch einmal. »Auserwählt.«

Ajani zuckte wieder mit den Schultern. »Vielleicht sind sie in letzter Minute auf etwas gesto-
ßen, was sie mehr interessiert. Wie gesagt, es han-
delt sich um ein Projekt für Straßenjungs.«

Ajani schaute in fünf fassungslose Gesichter.

»Jedenfalls«, widmete er sich wieder den Tat-
sachen, »fehlen uns drei Spieler.«

Training

Die Fünf Asse saßen zusammen mit Ajani auf dem Rasen neben dem Fußballplatz, um die neue Situation zu beraten. Lennart konnte es einfach nicht verstehen, wieso Ajani und seine Mannschaft keine anderen Spieler fanden, um die Ausfälle zu kompensieren. Doch die Erklärung war recht einfach: »Das ist wie bei jeder Weltmeisterschaft oder auch den Olympischen Spielen«, erläuterte Ajani. »Es gab einen Anmeldeschluss. Danach kann niemand mehr geholt werden. Wir können nur die Spieler aufstellen, die schon im Camp sind. Und ihr seid die Einzigen, die noch keiner Mannschaft zugeteilt sind.«

Lennart stöhnte auf. »Ich will ja niemanden beleidigen«, sagte er zögerlich. »Aber Michael und Jabali können wirklich überhaupt nicht Fußball spielen!«

Ajani warf seinem Cousin einen mitleidigen Blick zu. »Echt nicht?«

Jabali zuckte mit den Schultern. »Ich bin Läufer!«

»Und Rennradfahrer!«, ergänzte Ilka. Das hatte

Jabali vor nicht allzu langer Zeit bewiesen. Auch
wenn es jetzt nichts nützte.

»Laufen ist gut im Fußball«, tröstete Ajani. »Außerdem: schlechter, als wenn wir gar keinen Ersatz aufstellen, werdet ihr wohl nicht sein!«

Michael kniff ärgerlich die Lippen zusammen. »Lennart übertreibt mal wieder. Sooo schlecht sind wir auch nicht.«

»Du triffst keinen Ball!«, stellte Lennart klar.

»Aber jeden Gegner!«, kicherte Ilka.

»Spiel du doch!«, blaffte Michael Ilka an.

Das hätte Ilka sogar gern getan. Aber Ajani hatte ihnen erläutert, dass bei dem Turnier reine Jungenmannschaften teilnahmen.

Ilka fand das total blöd, zumal in Deutschland in ihrer Altersklasse gemischte Fußballmannschaften nicht ungewöhnlich waren. Aber das Organisationskomitee dieses internationalen Turniers sah die Sache offenbar anders. So konnten Ilka und Linh gar nicht einspringen, selbst wenn sie gewollt hätten.

»Es bleibt also nichts anderes übrig«, fasste Linh zusammen. »Entweder unsere Jungs spielen bei Ajani mit oder seine Mannschaft kann nur mit acht Spielern antreten.«

»Und das wäre wirklich blöd«, erklärte Ajani. »Denn erstens haben wir dann kaum Chancen zu gewinnen. Aber vor allem, was ist, wenn sich einer oder mehrere verletzen oder vom Platz fliegen? Die Turnierregeln orientieren sich an der FIFA-Empfehlung, wonach ein Spiel abgebrochen werden sollte, wenn weniger als sieben Spieler einer Mannschaft auf dem Platz stehen.«

»Bei uns in Deutschland ist das sogar eine Regel«, wusste Lennart. »Nicht nur eine Empfehlung.«

»Puh!«, stöhnte Michael. »So viele Regeln. Ich dachte, hier spielt man einfach nur Fußball.«

Es blieb ihnen also gar keine Wahl. Zudem gab es wirklich Schlimmeres, als bei einem internationalem Fußballturnier als Spieler aktiv dabei zu sein.

»Also!« Jabali sprang tatenfroh auf. Er hatte schon viel zu lange still auf einem Fleck gesessen und musste sich endlich mal wieder bewegen. »Worauf warten wir noch? Wenn wir morgen schon spielen müssen, sollten wir mit dem Training beginnen. Am besten sofort!«

»Endlich mal ein guter Vorschlag«, lobte Michael.

Nur Lennart stutzte. »Wir haben gar keine Fußballschuhe dabei!«

Aber das war das geringste Problem. Immerhin war dieses Fußballturnier in erster Linie ein soziales Projekt. Die meisten Spieler stammten aus ärmeren Familien und wohnten in heruntergekommenen Stadtteilen. Nicht nur in Ajanis Mannschaft. Auch die Spieler aus den anderen Ländern kamen meist aus Familien mit sehr wenig Geld. Selbst in der Mannschaft der Grünheimer waren die sozialen Unterschiede enorm. Viele der Teilnehmer dieses Turniers hatten gar kein Geld für Fußballschuhe oder Trikots. Deshalb wurde die Ausrüstung ebenso wie die Reise, die Verpflegung und die Unterkunft bezahlt und gestellt.

Ajani rannte los, um seinen Mannschaftskameraden die frohe Botschaft zu überbringen. Ihr Trainer begrüßte Michael, Lennart und Jabali herzlich und stellte sich als Herr Tomsen vor, verteilte Schuhe und Trikots an die drei und rief sie gleich auf den Platz zum Probetraining.

Pünktlich mit dem ersten Schritt, den Michael auf den Rasen setzte, brach ein Platzregen los, wie Michael ihn noch nie gesehen hatte.

Noch ehe er sich darüber überhaupt wundern oder gar die anderen fragen konnte, ob das

Training dennoch stattfand, stand er schon klitsch-nass auf dem Platz. Michael kam sich vor, als stünde er in kompletter Sportkleidung unter einer kalten Dusche. Der Platz unter seinen Füßen verwandelte sich binnen weniger Sekunden vom feinsten Rasen in einen morastigen Tümpel, in dem er fast bis zu den Knöcheln einsank. Der Regen ergoss sich so heftig über ihn, dass er beinahe die eigene Hand nicht mehr vor Augen sehen konnte, geschweige denn den Weg zu den Umkleide-kabinen oder einer anderen Unterstellmöglichkeit. Um ihn herum nichts als eine graue, nasse Masse aus tosendem Wasser. Als ob man sich direkt in einen Wasserfall stellen würde, um die Umgebung zu erkunden. Es war aussichtslos. Obwohl er einen wirklich guten Orientierungssinn besaß, wusste er nicht mehr, wo vorn oder hinten war. War er von da gekommen oder von dort? Wo standen die Tore? Wo endete der Platz? Nichts von alledem konnte er mehr sehen. Zudem verursachte der Regenguss solch einen Höllenlärm, dass er auch nichts mehr sonst hörte. Er rief nach seinen Freunden. Doch der prasselnde Regen schien die Schallwellen seiner Stimme gleich mit in den Abgrund zu ziehen, ohne dass irgendjemand in seinem Umkreis die Chance gehabt hätte, ihn zu hören.

So tat Michael das Einzige, was ihm übrig blieb.
Nichts. Er wartete einfach und ertrug die Wasser-
massen, die sich über ihn ergossen.

Plötzlich spürte er eine Hand auf seiner Schulter.
Michael schrak zusammen und drehte sich um.
Hinter ihm erkannte er Herrn Tomsen, den Trainer.

»Komm!«, rief der ihm zu und zog ihn mit in
eine Richtung, in die Michael niemals gegangen
wäre. Von dort war er gekommen?

Der Trainer ließ Michaels Hand nicht los, während er mit ihm quer über den Platz rannte, bis sie
die Umkleidekabinen erreicht hatten. Dort hatten
sich die anderen schon längst in Sicherheit gebracht.

»Was ist das denn?«, fragte Michael in die Runde, während sich unter ihm in Sekunden eine riesige Pfütze auf dem Betonboden ausbreitete.

»Ein Regenschauer. Der Winter beginnt. Aber
der ist hier in Johannesburg eigentlich trocken«,
erklärte Jabali. »Viel regnen tut es nur im Sommer,
also von November bis Januar.«

»Trocken?«, hakte Michael nach. »Das nennst
du trocken? Und wieso Winter? Wir
haben bald Juni.«

Jabali nickte und lachte:
»Eben! Wir sind auf der anderen

Seite der Erdkugel. Aber im Winter regnet es hier nur ein- bis zweimal im Monat!«

»Toll!«, meckerte Michael und schaute an sich herunter. »Und den einen Tag davon hab ich voll erwischt!«

»Stimmt!«, kicherte Ajani und versprach: »Aber morgen wird die Sonne wieder scheinen.

»Morgen?« Michael sah sich unsicher um. »Morgen beginnt das Turnier! Und wir haben noch nicht ein einziges Mal trainiert!«

»Umso spannender wird es morgen«, fand Ajani und grinste Michael mit einem breiten, zufriedenen Lächeln an.

Erst jetzt erkannte Michael, dass Ajani knochentrocken war. Ebenso Jabali. Und der Rest von Ajanis Mannschaft.

»Wieso seid ihr nicht nass?«, wunderte sich Michael.

»Weil wir bei Regen reingehen«, lachte Ajani.

»Aber ...«, wollte Michael nachsetzen. »Der Regen kam doch total plötzlich!«

»Fandest du?«, fragte Ajani nach. »Ich finde, das hat man deutlich gesehen!«

Seine Mitspieler lachten.

Für Michael war es nur ein schwacher Trost, dass auch Lennart klitschnass war.

Linh und Ilka hatten Ajani und die anderen südafrikanischen Jungs gesehen, als sie fluchtartig
den Platz verlassen hatten, noch bevor der erste
Tropfen gefallen war.

»Ihr lauft vor Regen weg?«, fragte Michael. »Was
seid ihr denn für Sportler?«

»Nicht vor Regen«, korrigierte Jabali. »Nur vor
so einer Sintflut. Hast du nicht gesehen, wie sich
der Himmel plötzlich schwarz färbte?«

Michael musste gestehen, das hatte er nicht bemerkt. So aufgeregt war er gewesen, dass er – der
Leichtathlet, der Zehnkämpfer, der, den Lennart
stets verhöhnte, wenn er es mit einem Ball zu tun
hatte – nun plötzlich in einer südafrikanischen
Auswahlmannschaft stand, um Fußball zu spielen.
In einem internationalen Turnier. Einer Weltmeisterschaft, wenn man so wollte. Irgendwie fühlte
Michael sich groß und stolz. Auch wenn er gar
nichts dafür getan hatte, sondern plötzlich in diese Mannschaft gerutscht war . Nur weil . . .

Plötzlich dachte Michael an die Jungs, die überfallen worden waren und jetzt mit schlimmen Verletzungen in einem Krankenhaus lagen.

»Wisst ihr was?«, rief er den anderen zu. »Wir sollten die Jungs
im Krankenhaus besuchen!«

Besuch

Leider blieb den Kindern nicht so viel Zeit für den Krankenhausbesuch, wie sie gern gehabt hätten. Da das Turnier schon am nächsten Vormittag begann, mussten sie noch am selben Abend los. So liefen die Fünf Asse und Ajanis Mannschaft nach dem Abendessen schnell los, um nicht zu spät zur Nachtruhe wieder zurück im Quartier zu sein. Doch dann mussten sie noch eine ganze Zeit lang auf den Sonderbus warten, mit dem sie alle zur Klinik gefahren wurden. Jabali und die anderen hatten nicht so recht verstanden, weshalb sie nicht mit dem öffentlichen Bus fahren konnten, so wie zu Hause auch. Doch Ajanis Vater hielt das für viel zu gefährlich. So mussten die Kinder warten, bis er einen Bus der Sportanlage geordert und einen Fahrer organisiert hatte, da er selbst an diesem Abend keine Zeit hatte.

Linh befürchtete, dass sie viel weniger von Südafrika sehen würde, als sie gehofft hatte. Der Krüger Nationalpark lag nicht allzu weit von Johannesburg entfernt. Den hatte Linh sich in einem Reiseführer ausführlich angeschaut: Fast 2 000 Pflanzenarten wuchsen in dem Park. Über 500 Vogelarten, 120 Arten von Reptilien, 147 Säugetierarten, 52 Fischarten und auch noch 35 verschiedene Arten von Amphibien lebten in dem Park, einem der größten Naturschutzgebiete der Welt. Ganz besonders hatte sie sich auf die Elefanten, Büffel, Löwen und Leoparden gefreut, die man dort entdecken konnte. Ein Paradies für Tiere! Knapp 21 000 Quadratkilometer groß, das entsprach etwa der Fläche des gesamten Bundeslandes Hessen.

Aber ein Ausflug in den Park wäre mit einem hohen Aufwand und erheblichen Kosten verbunden gewesen. Außerdem waren sie schließlich zu dem Turnier eingeladen. Da durften sie die Spiele natürlich nicht verpassen.

Allein in die Stadt durften sie ja wohl auch nicht. Vor der Sportanlage patrouillierten rund um die Uhr vier Polizisten als Wache. Das gesamte Gelände ringsherum wurde videoüberwacht.

Diesen ersten Abend hatte Linh sich anders vorgestellt. Jedenfalls hatte sie es keine Sekunde für möglich gehalten, dass sie gleich ein Krankenhaus von innen kennenlernte. Linh schaute die ganze Fahrt über aus dem Fenster und sah nichts als eine trostlose Großstadt mit vielen Baustellen. Überall wurden letzte Vorbereitungen für die bevorstehende Fußball-WM getroffen. Es schien, als hatten sich irgendwie alle etwas Besonderes für die WM vorgenommen. Auch die heruntergekommenen, maroden Holztüren und Fensterläden der kleinen Geschäfte wurden mit frischer Farbe aufgemöbelt. Linh sah, wie ein kleiner, alter Mann versuchte, einen riesigen Fußball aus Plastik, fast so groß wie er selbst, über seiner Eingangstür zu befestigen.

»Die Hoffnung stirbt zuletzt«, sagte Ajani und schüttelte verständnislos den Kopf. Er hatte Linh beobachtet. »Das Ding ist morgen schon verschwunden!«, prophezeite er. »Geklaut oder zerstört! Das geht in diesem Stadtteil blitzschnell.«

Eines der größten Probleme schien tatsächlich die Sicherheit zu sein. Noch nie war Linh an so vielen Polizei-Patrouillen vorbeigekommen wie bei der Fahrt in die Klinik.

Wenigstens freuten sich die drei Jungs aus der Fußballmannschaft sehr über den Besuch ihrer Mannschaftskameraden.

»So ein Mist, Nelson! Das hätte jedem von uns

passieren können!«, fluchte Ajani leise und klatschte einen der Jungs ab, der ihm seinen unverletzten rechten Arm entgegenhielt.

Nelson entsprach innerhalb der Fußballmannschaft auf den ersten Blick dem, was Michael für die Fünf Asse war. Er war für sein Alter enorm groß. Das erkannte man sogar, obwohl Nelson nicht stand, sondern im Bett lag. Er war durchtrainiert, mit einem breiten, kräftigen Brustkorb und muskulösen Armen. Ein echter Athlet. Auf den ersten Blick hätte man ihn nicht unbedingt für einen Fußballer, sondern – wie Michael – eher für einen Mehrkämpfer gehalten. Dass ausgerechnet er hier in der Klinik lag, zeigte, wie überraschend der Überfall abgelaufen sein musste. Sonst wäre Nelson mit Sicherheit in der Lage gewesen, den Angreifer in die Flucht zu schlagen.

Nelson zuckte nur mit den Schultern. »Es ist ärgerlich, aber jetzt kann ich nichts mehr ändern«, sagte er. »Nun müsst ihr Übrigen für uns mitkämpfen.«

Ajani versprach es ihm sofort. Und stellte ihm und den beiden anderen – Tutu und Berta – die neuen Freunde vor.

»Berta?«, fragte Lennart leise nach und erntete einen spöttischen Blick von Jabali und Unverständnis bei Ajani und Nelson.

»Berta ist ein afrikanischer Männername«, flüsterte Jabali Lennart zu.

Lennart zog die Augenbrauen hoch. Das hatte er nicht gewusst.

Jabali nickte ihm zu. »Wirklich. Er bedeutet: stark und lebhaft sein. Stammt ursprünglich aus Äthiopien.«

Lennarts verstorbene Urgroßmutter hieß Berta. Ob die wohl gewusst hatte, dass sie einen afrikanischen Männernamen trug? Die Bedeutung hätte jedenfalls gepasst, soweit Lennart sich erinnern konnte.

Nelson freute sich über den Einsatz von Michael, Lennart und Jabali, die seine Mannschaft unterstützen wollten.

»Danke!«, rief er ihnen zu. »Ich hoffe, ihr seid mindestens so gut wie Tutu und Berta.«

»Klar!«, versicherte Michael selbstbewusst.

Lennart schüttelte nur den Kopf. Ausgerechnet Michael, der schlechteste Fußballer, den Lennart kannte, riss den Mund wieder mal am weitesten auf.

»So gut wie Tutu und Berta?«, wiederholte Ajani. »Sei nicht so bescheiden, Nelson!« Dann wandte er sich an die Fünf Asse: »Nelson war mit Abstand unser bester Spieler. Er beherrscht den Platz und das Spiel wie Messi oder einst Maradona.«

»Messi?«, fragte Michael und kassierte einen leichten Tritt von Lennart in seine Kniekehle. Wenn Michael schon einen der besten Spieler der Welt nicht kannte, sollte er wenigstens den Mund halten.

Aber Michael hielt nicht den Mund, sondern wechselte nur das Thema.

Auch für Linhs Geschmack ein wenig zu forsch preschte Michael weiter vor und fragte, wie denn der Überfall passiert sei. Und vor allem, warum.

»Warum?«, fragte Ajani zurück. »Was meinst du mit: warum?«

»Na ja«, versuchte Michael zu erklären. »Man wird doch nicht einfach so, ohne jeden Grund, auf der Straße überfallen. In der Regel wollen die doch Geld oder klauen einem die Jacke oder ein Handy oder so etwas.«

Michael schaute die drei Jungs, die nebeneinander in dem Zimmer in ihren Betten lagen, fragend an. »Ist euch was geklaut worden?«

Keiner der drei beantwortete Michaels Frage.

Ajani sprang wieder ein.

»Manchmal reicht es, wenn man jemanden falsch anguckt«, erklärte er.

Michael ließ es dabei bewenden. Aber ein Blick hinüber zu Lennart und Jabali verriet, dass er mit der Antwort nicht zufrieden war. Nur weil Linh ihm heimlich einen kleinen Knuff in die Seite verpasste, setzte Michael nicht noch mal nach.

Erst als die fünf wieder draußen vor der Tür standen und einen kurzen Augenblick unter sich waren, wollte Michael von Linh wissen: »Warum hast du mich geknufft?«

Linh schaute sich nach allen Seiten um, ob nicht jemand mithören konnte. Erst dann antwortete sie ihm leise: »Hast du nicht bemerkt, dass ihnen deine Fragen unangenehm waren?«

»Ja, natürlich!« Michael nahm weniger Rücksicht als Linh und sprach gewohnt laut. Es war ihm egal, ob sie jemand hörte. »Deswegen wollte ich es ja erst recht wissen.«

»Wir waren dort zu Besuch«, stellte Linh klar. »Und du benimmst dich wie bei einem Verhör. So etwas tut man nicht!«

»Pfft!«, machte Michael. Er zog eine Grimasse und äffte Linh nach: »So etwas tut man nicht.« Er wandte sich von ihr ab. »Da stimmt etwas nicht, sag ich euch!«

In dem Moment trat Ajani vor die Tür.

Linh warf Michael noch einen warnenden Blick zu. Er sollte jetzt bloß nicht weiterstreiten.

Obwohl es Michael sehr gegen den Strich ging, hörte er wie immer auf Linh und hielt den Mund. Vorerst. Doch die Sache war für ihn noch lange nicht erledigt. Bei nächster Gelegenheit würde er weiterbohren. Der Überfall barg irgendein Geheimnis. Davon war Michael fest überzeugt. Und er würde das Geheimnis lüften.

Das Turnier beginnt

Am nächsten Morgen pünktlich um zehn Uhr begann das Turnier mit einer feierlichen Eröffnungsveranstaltung.

Als gastgebende Mannschaft bestritt Ajanis Mannschaft das erste Spiel. Ein weiterer Nachteil. Nicht genug, dass Ajanis Mannschaft mit ihren neuen Spielern Michael, Lennart und Jabali noch nie zusammen trainiert hatte. Jetzt konnten sie sich ihre Gegner in deren ersten Spielen noch nicht einmal in Ruhe ansehen. Zu allem Überfluss hieß der erste Gegner Brasilien.

Lennart stöhnte auf, als er das hörte. Nur kurz hatte er mit den Brasilianern gekickt. Aber das bisschen, was er von ihnen mitbekommen hatte, hatte ihm schon gezeigt: Die Jungs konnten mit dem Ball umgehen. Ganz im Gegensatz zu dem, was Lennart von Michael und Jabali wusste. Er konnte nur hoffen, dass Ajani und die anderen erheblich mehr vom Fußball verstanden als seine besten Freunde.

Entsprechend dürftig fiel die Ansprache ihres
Trainers aus, als er die Jungs nach der Eröffnung und unmittelbar vor Beginn des Spiels noch mal in der Kabine versammelte. Auch der Trainer wusste nicht, was auf sie zukam. Er hatte die Kinder aus Brasilien noch nie zuvor spielen sehen. Der einzige kleine Trost war: Den Brasilianern erging es nicht besser. Auch sie spielten gegen einen für sie vollkommen unbekannten Gegner. Lediglich bei Lennart hatten sie gesehen, dass er ihnen in der Ballbehandlung in nichts nachstand.

Nachdem Herr Tomsen einige Aufwärmübungen auch mit Lennart, Michael und Jabali absolviert hatte, runzelte er die Stirn. Über Lennart konnte er froh sein. Einen Spieler mit einer derart großartigen Ballbehandlung hatte er lange nicht trainiert. Das komplette Gegenteil bot Michael.

»Der Ball und du, ihr werdet sicher keine Freunde mehr«, sagte Trainer Tomsen Michael offen ins Gesicht. »Aber du bist kräftig, kannst dich in Zweikämpfen durchsetzen.« Deshalb überlegte er, Michael in der Abwehr einzusetzen. Jabali als Konditionswunder sollte sozusagen Lennarts »Wasserträger« spielen. Das heißt, Jabali sollte möglichst jedem Ball nachsetzen, vorn und hinten zu sehen sein und seine Kondition ausspielen. Sobald er den Ball erobert hatte, sollte er ihn zu Lennart spielen, der in Nelsons Rolle als Spielmacher schlüpfte.

»Also«, begann der Trainer seine Ansprache. Lennart konnte ebenso gut sofort weghören. Denn der Trainer sprach Englisch. Eine Sprache, von der Lennart so gut wie nichts verstand. Okay, er konnte »please« und »thank you« sagen und war auch in der Lage, sich eine Limonade zu bestellen oder zu fragen, ob die nächste Busstation in der einen oder der anderen Richtung lag. Aber damit hatte es sich auch schon. Nichts davon konnte er auf dem Fußballplatz gebrauchen, denn weder fuhren auf dem Platz Busse noch konnte man sich irgendwo eine Limonade bestellen. Alles Weitere, was der Trainer ihnen vor dem Spiel mitzuteilen hatte, zog an Lennarts Ohren vorbei wie das Rauschen eines Wasserfalls. Eine Geräuschkulisse, der nicht ein verständliches Wort zu entnehmen war.

Lennart stellte fest, dass er das Gesprochene nicht nur nicht übersetzen konnte. Noch schlimmer, er verstand nicht einmal die Worte an sich.

Der Trainer hatte eine so merkwürdige Ausspra-
che, fand Lennart, dass er nicht einmal bemerken
würde, wenn er ein ihm bekanntes Wort benutzen
würde.

Lennart stützte den Kopf in die Hände und
seufzte leise. Jetzt musste er sich gleich alles von
Jabali oder Michael übersetzen lassen. Die verstanden zwar die Worte, aber Lennart bezweifelte,
dass die beiden den Inhalt und die Bedeutung der
Ansprache begriffen. Dazu verstanden sie viel zu
wenig vom Fußball.

Noch bevor der Schiedsrichter das Spiel anpfiff,
hegte Lennart keinen Zweifel, dass sie das Spiel
verlieren würden. Es blieb lediglich die Frage, wie
hoch ihre Niederlage ausfallen würde. Und das
ausgerechnet bei so einem Spiel. In ihrer Schule
schauten bei wichtigen Spielen vielleicht mal hun-
dert oder zweihundert Leute zu. Aber das war
schon die Ausnahme. Das Eröffnungsspiel aber
fand in einem benachbarten Mini-Stadion statt,
das immerhin Platz für eintausend Leute bot. Und
fast alle Plätze waren besetzt! Zu allem Überfluss
bestand ein Teil dieses Publikums
aus den Grünheimern. Wie auch
immer: Die Kulisse beeindruckte
Lennart zutiefst. Und gleichzei-

tig bedauerte er, ausgerechnet jetzt in einer so schwachen Mannschaft spielen zu müssen.

Sein Blick fiel zur Seitenlinie, an der Ilka und Linh auf der Ersatzbank Platz genommen hatten. Der Trainer hatte sie darum gebeten, weil sie ja keine Ersatzspieler mehr hatten und die Bank nicht leer bleiben sollte.

»Dann bin ich hier nicht ganz so allein«, hatte Herr Tomsen ihnen lächelnd gesagt.

Die Brasilianer hatten die Seitenwahl. Daher gehörte den Südafrikanern der Anstoß.

Der Schiedsrichter pfiff das Spiel an. Sofort bekam Lennart den Ball zugespielt. Er spielte gleich weiter zurück zu Michael, der zwar als rechter Verteidiger aufgestellt worden war, aber aus irgendeinem mysteriösen Grund nun direkt hinter ihm im zentralen Mittelfeld stand.

Was tut der da?, dachte Lennart im selben Moment, als er den Ball nach hinten spielte. Die gleiche Frage stellte er sich, als Michael, ohne sich nach einem Mitspieler umzuschauen, den Ball mit aller Wucht nach vorn drosch und wie ein Mann auf der Flucht hinterherhetzte.

Jimmy schaute Lennart mit gerunzelter Stirn an.

Lennart zog die Schultern hoch.

Selbst die gegnerischen Brasilianer waren derart verblüfft über Michaels Spielzug, dass sie für den Bruchteil einer Sekunde einfach nur stehen blieben und dem Ball und dem weißen über den Platz sausenden Jungen verständnislos hinterherstaunten. Dann besann sich aber einer der gegnerischen Abwehrspieler und nahm den Ball lässig an, während Michael wie ein wilder Stier auf ihn zuraste.

Der Brasilianer legte sich den Ball ein bisschen vor, schaute sich weiter um.

Michael kam näher.

Der Brasilianer lief ein paar Schritte vor und damit Michael entgegen.

Jetzt hatte Michael ihn erreicht. Der Brasilianer zog den Ball mit der Sohle zur linken Seite und machte gleichzeitig einen Schritt in dieselbe Richtung. Michael sauste an ihm vorbei wie ein tollwütiges Nashorn, wollte abrupt abbremsen, rutschte dabei aus und schlug lang hin. Der Brasilianer lief nun mit dem Ball los, als ob Michael gar nicht da wäre. Die Grünheimer am Spielfeldrand grölten vor Vergnügen.

»Was tust du denn da?«, schrie Lennart Michael über den halben Platz zu.

»Was denn?«, fragte Michael erbost zurück. »Wieso steht hier denn keiner?«

Lennart konnte es nicht fassen. Ungläubig schüttelte er den Kopf. Michael schien von den einfachsten Fußballregeln nichts zu wissen.

»Wie soll denn dort einer hinkommen, direkt nach dem Anstoß?«, fragte er. »Spiel doch erst mal zurück oder quer, um langsam das Spiel aufzubauen!«

»Wieso denn langsam?«, fragte Michael allen Ernstes.

Lennart konnte sich nicht weiter mit Michael beschäftigen. Die Brasilianer stürmten und Michael, der eigentlich als Verteidiger eingesetzt war, fehlte nun hinten. Lennart spurtete zurück, um dessen Platz einzunehmen.

Doch natürlich kam er zu spät. Über die freie linke Seite hatten die Brasilianer nun allen Platz der Welt. Der gegnerische Flügelstürmer legte sich den Ball zurecht und flankte. Der Ball erreichte seinen Mitspieler in der Mitte punktgenau. Der nahm den Schuss direkt. Keine Chance für den Torwart. Der Ball schlug links unten in der Ecke ein. Die Brasilianer jubelten.

Der Schiedsrichter pfiff – Abseits!

Eine Fehlentscheidung!, wusste Lennart sofort.

Glück gehabt. Eigentlich hätte der Schiedsrichter
die Situation klar erkennen können. Aber in einem
Spiel von Kindern pfiff natürlich kein Schiedsrichter von Weltklasse. Nicht einmal eine Liga-Quali-
fikation dürfte er haben, überlegte Lennart. Und
Linienrichter gab es auch keine. In ihrer Altersklasse kam es sogar häufig vor, dass irgendwelche
Väter oder Angehörige ein Spiel pfiffen, weil der
eingesetzte Amateur-Schiedsrichter – nicht selten
selbst noch jugendlich – verschlafen hatte oder
so. Mit Fehlentscheidungen musste man demnach
auch weiterhin rechnen. Lennart nahm sich vor,
bei nächster Gelegenheit seine Mitspieler darauf
aufmerksam zu machen. Auf Abseits zu spielen
oder ähnliche schlaue Feinheiten schlossen sich
aus, weil man sich nicht auf die Qualität des
Schiedsrichters verlassen konnte.

Die Proteste der Brasilianer hatten natürlich keinen Erfolg. Und so blieb es beim 0:0. Das Spiel
ging weiter mit einem Freistoß für Ajanis Mannschaft, den Ajani, der Libero spielte, selbst aus-
führte. Er gab den Ball zu Jabali. Jabali gelang es
zwar, den Ball zu stoppen. Aber so-
fort stürmte ein Brasilianer auf
ihn zu, was Jabali nervös machte.

Lennart erkannte es. Rannte auf Jabali zu und bot sich an, angespielt zu werden.

»Hier!«, rief Lennart. »Hier!«

Zu spät. Ehe Jabali schaltete, war der Brasilianer schon da, luchste Jabali den Ball vom Fuß und stand in aussichtsreicher Position am Rand des Sechzehners.

»Verdammt!«, entfuhr es Lennart.

Jabali versuchte, seinen Fehler wiedergutzumachen, indem er sofort nachsetzte. Doch der Brasilianer war ihm überlegen. Mit einem einfachen Übersteiger zog er an Jabali vorbei, rannte mit dem Ball eng am Fuß Richtung Außenlinie und spielte hart und flach in den Rücken der Abwehr in Richtung Elfmeterpunkt. Lennart erkannte, wie lichterloh es nun im Strafraum brannte.

Doch Ajani sah es auch. Mit einer blitzartigen Bewegung drehte er sich und warf sich in die Hereingabe. Mit der Fußspitze erwischte er den Ball, bevor der bereitstehende Stürmer hinter ihm ihn direkt hätte nehmen können. Der Ball prallte von Ajanis Fuß aus dem Strafraum heraus, wo aus der zweiten Reihe ein brasilianischer Mittelfeldspieler herangerauscht kam, sofort abzog und mit Vollspann aufs Tor schoss. Instinktiv hob der immer noch am Boden liegende Ajani sein

linkes Bein und wehrte den Ball mit dem Knie
ab.

»Super!«, lobte Lennart.

Der Ball sprang in hohem Bogen ins Toraus.
Eckball.

Lennart konnte sich vorstellen, dass die Brasilianer hervorragend Ecken schlagen konnten. Die Gefahr war also noch lange nicht gebannt.

»Alles decken!«, rief Lennart. Er dachte nicht darüber nach, dass ihn vermutlich überhaupt niemand verstand. Aber wer auch nur ein klein wenig Ahnung vom Fußball hatte, wusste ohnehin, was jetzt zu tun war. Und die einzigen beiden, die keine Ahnung hatten, sprachen Deutsch.

Lennart wies Michael an, wen er zu decken hatte.

Michael schaute ihn verwundert an. »Was willst du denn?«, fragte er.

»Mann!«, fauchte Lennart. »Deck den Langen da. Der steht völlig frei zum Kopfball und . . .«

»Es ist doch Abstoß!«, behauptete Michael.

Lennart stutzte. Schaute sich um.

Er sah, wie die Gegner murrend und kopfschüttelnd den Strafraum verließen. Auch seine Mitspieler trollten sich nun langsam aus dem Sechzehner heraus.

Nur Lennart stand noch da, bereit, einen Eckball zu empfangen.

»Was ist denn nun los?«, wunderte er sich.

Jeder Blinde hätte gesehen, dass Ajani den Ball zuletzt berührt hatte. Damit hätte es einwandfrei Eckstoß für die Brasilianer geben müssen.

Der Torwart machte sich nicht so viele Gedanken wie Lennart, legte sich den Ball auf die Linie des Fünfmeter-Raums, nahm Anlauf und schoss den Ball zu Jimmy.

Der erste Angriff von Ajanis Mannschaft rollte.

Jimmy umspielte zwei Gegner, passte dann zum aufgerückten Ajani. Ajani gab direkt weiter auf den Linksaußen, der ungeheuer schnell war. Er spurtete mit dem Ball am Fuß an der Außenlinie entlang. Lennart sah, wie auch Jimmy in der Mitte volles Tempo aufnahm und Richtung linken Pfosten zusteuerte. Lennart ahnte, was die beiden vorhatten. Ehe die Brasilianer es ebenfalls erkannten, war es für sie bereits zu spät. Der Linksaußen spielte einen scharfen Pass flach etwa einen Meter vor den Pfosten. Der Ball und Jimmy erreichten den Punkt gleichzeitig. Jimmy spitzelte den Ball über den heranstürzenden Torhüter hinweg ins lange rechte Eck. Lennart konnte es nicht glauben. Es stand 1:0 für seine Mannschaft! Sensationell!

Dass dieser Führung zwei krasse Fehlentscheidungen des Schiedsrichters vorausgingen, daran
dachte Lennart in diesem Augenblick nicht. Er
rannte einfach nur jubelnd nach vorn, um Jimmy
zu seinem grandiosen Tor zu gratulieren.

Gewonnen!

Das Glück blieb über das gesamte Spiel auf der Seite von Ajanis Mannschaft. Jede strittige Abseits-, Freistoß- oder Eckball-Entscheidung fällte der Schiedsrichter gegen die Brasilianer. So jedenfalls sahen sie selbst das. Lennart sah es nicht ganz so. Er musste sich zwar eingestehen, dass keine einzige unklare Situation gegen sie gepfiffen worden war, aber eine strittige Entscheidung war eben strittig. Die konnte man in die eine oder andere Richtung pfeifen. Oft hatte der Schiedsrichter ja auch eine schlechte Sicht. Ebenso fehlten ihm die Assistenten. Und da es natürlich sowieso keine Fernsehaufnahmen oder Zeitlupe gab, blieben auch die Kritiken an manchen Entscheidungen bloße Behauptungen. Niemand hätte im Nachhinein beweisen können, ob der Schiedsrichter richtig oder falsch gepfiffen hatte.

Lennart nahm die Sache so, wie sie war. Verständlich! Denn seine Mannschaft gewann das Spiel am Ende tatsächlich mit 1:0. Überraschend,

auch ein wenig glücklich, wie er zugab. Aber nicht
unverdient, fand Lennart. Immerhin waren sie unter äußerst ungünstigen Bedingungen angetreten. Drei Spieler hatten ersetzt werden müssen. Als komplette Mannschaft hatten sie kein einziges Mal trainieren können. Zwei der Ersatzleute – Jabali und Michael – waren alles, nur keine Fußballer. Aber in dem Maße, wie die Brasilianer von Minute zu Minute nervöser geworden waren, hatten Lennarts beide Freunde an Sicherheit und Selbstvertrauen gewonnen. Michael konnte zwar noch immer keinen Ball richtig stoppen und erst recht keinen guten Pass schlagen. Aber im Laufe des Spiels hatte er sich auf seine Tugenden besonnen und war dem Spielmacher der Gegner nicht mehr von der Seite gewichen.

»Bleib an ihm dran!«, hatte Herr Tomsen gefordert. »Und wenn der duschen geht, gehst du mit!«

Mit all seiner Kraft und Athletik war Michael daraufhin um den Brasilianer herumgeschwirrt wie eine lästige Mücke, die man einfach nicht loswird. Irgendwann hatte der brasilianische Spielmacher entnervt aufgegeben und eigentlich gar nicht mehr aktiv am Spiel teilgenommen. Genau das war es, was seine Mitspieler ihm nun vorwarfen. Während Lennart, Michael und Jabali gemeinsam mit ihrer neuen Mannschaft eine stolze Ehrenrunde um den Fußballplatz drehten und dem Publikum applaudierten, standen die Brasilianer im Pulk am Spielfeldrand und stritten sich.

Ganz offenbar hatten sie bei diesem Spiel einen Sieg fest eingeplant und wurden nun mit der überraschenden Niederlage überhaupt nicht fertig. Auch ihr Trainer nicht. Lennart sah, wie er verärgert auf den Schiedsrichter losging. Doch der ließ sich auf keine Diskussionen ein, wehrte den Trainer mit den Händen ab und verschwand in den Umkleidekabinen.

Lennart hatte die Runde beendet und trabte zu der Ersatzbank, vor der Ilka und Linh standen und den Jungs applaudierten.

»Prima gefightet!«, rief Ilka ihm zu, meinte aber vor allem Jabali und Michael.

Jeder hatte gesehen, wie sehr die beiden sich ohne jedes fußballerisches Talent hatten durchwursteln müssen.

Michael zeigte sich dementsprechend stolz über seine Leistung und den Sieg über die brasilianische Mannschaft. Jabalis Freude hingegen fiel deutlich gedämpfter aus.

»Ich weiß ja nicht«, warf er zögerlich ein. »Die

meckern alle ganz schön über den Schiedsrichter!«

Michael machte eine wegwerfende Handbewe-
gung. »Quatsch! Die ärgern sich nur über ihre
Niederlage!«

Doch auch Ajani teilte Jabalis Zweifel. »Ehrlich
gesagt, bei so mancher Entscheidung dachte ich
auch: Na ja ...« Zur Verdeutlichung seiner Skepsis
wiegte Ajani seinen Kopf hin und her. »Das hätte
man auch anders entscheiden können.«

»Wieso das denn?«, empörte sich Michael. »Nun
rede mal unseren Sieg nicht so herunter.«

Das wollte Ajani natürlich nicht. Dennoch erging es ihm wie seinem Cousin. Er fand, sie hatten
bei einigen Entscheidungen des Schiedsrichters
enormes Glück gehabt. Sonst wäre das Spiel wo-
möglich anders ausgegangen. Michael wollte davon nichts hören. Lennart dagegen hatte ja schon
ein ähnliches Gefühl wie Ajani und Jabali gehabt.
Wenn er in der brasilianischen Mannschaft gespielt hätte, hätte er sich bestimmt auch so aufgeregt. Irgendwie konnte Lennart sie verstehen,
auch wenn er das in diesem Moment
lieber für sich behielt.

Linh und Ilka hingegen dach-
ten eher wie Michael. Auch sie

wollten die Leistung »ihrer Mannschaft« und ihrer Freunde nicht dadurch schmälern, dass sie die Entscheidungen des Schiedsrichters infrage stellten. Zum Beweis führten sie an, dass der Schiedsrichter normalerweise gar keine Jugendspiele pfiff. Und schon gar keine Spiele von Kindern. Im Gegenteil: Der Schiedsrichter leitete sogar Spiele der PSL, verkündete Ilka.

»Von wem?«, fragte Michael.

»PSL«, wiederholte Ajani. »Premier Soccer League. Unsere höchste Spielklasse. Also wie bei euch die Erste Bundesliga.«

»Wow!«, stieß Michael anerkennend aus. »Ein Profi-Schiedsrichter? Na, dann soll noch mal jemand was sagen!«

Für Michael konnte es keinen besseren Beleg geben, als dass sie aus eigener Kraft, einzig durch ihre gute Leistung gewonnen hatten.

»Moment mal!«, warf Lennart ein. »Wenn der hier in der ersten Liga pfeift, dann ist er doch auch Südafrikaner. Wieso durfte er überhaupt unser Spiel leiten?«

Ajani konnte Lennart beruhigen. »Herr Gavivi kommt aus Kenia. Er ist, glaube ich, nur für zwei Saisons hier.«

Lennart verstand, wunderte sich aber trotzdem.

Denn meistens waren die Veranstalter sehr darauf bedacht, die eingesetzten Schiedsrichter gegen Vorwürfe der Voreingenommenheit gegenüber dem eigenen Land zu schützen, und setzten sie gar nicht erst in solchen Begegnungen ein. Bei einem Spiel Südafrika gegen Brasilien – also Afrika gegen Lateinamerika – einen afrikanischen Schiedsrichter einzusetzen, statt einen Europäer, wirkte schon sehr eigenartig. Aber vermutlich gab es bei diesem Jugendturnier überhaupt nur afrikanische Schiedsrichter. Andererseits: Wie konnten einem Erstliga-Schiedsrichter derart auffallende Fehler unterlaufen? Lennart schwante, dass da irgendetwas nicht mit rechten Dingen zuging.

Noch mehr Überraschungen

Natürlich wurde das Eröffnungsspiel von den anderen Mannschaften mit großem Interesse verfolgt. Der Sieg über die Brasilianer hatte allerdings nicht dazu geführt, dass die südafrikanische Mannschaft, in der Michael, Lennart und Jabali mitspielten, nun als Favorit galt. Im Gegenteil. Die allgemeine Stimmung im Jugendlager verhieß, dass die Brasilianer eigentlich viel besser gespielt hatten, durch unglückliche Schiedsrichter-Entscheidungen allerdings um einige gute Torchancen gebracht worden waren und deshalb das Spiel verloren hatten.

Die Brasilianer galten weiter als Favoriten, erst recht nachdem die nächsten beiden Spiele stattgefunden hatten. Die deutsche Mannschaft mit den Grünheimern gewann gegen Italien knapp mit 1:0. Und die Chinesen unterlagen gegen die USA mit 0:3. Keine Mannschaft hatte aber balltechnisch und vom Spielniveau her so überzeugen können wie die Mannschaft aus Brasilien. Michael

ärgerte umso mehr, dass ihr Sieg gegen sie nicht
richtig anerkannt wurde.

Als der Trainer die Jungs vor ihrem nächsten Spiel – gegen Spanien – noch mal um sich versammelte, wies er genau darauf hin: »Jetzt müsst ihr beweisen, was ihr wirklich könnt!«, schärfte er ihnen ein. Und: »Diesmal wird ein anderer Schiedsrichter das Spiel leiten. Niemand kann uns also vorwerfen, vom Schiedsrichter begünstigt zu werden. Ihr seid allein auf euch angewiesen.«

Eine Sache, die Lennart sehr entgegenkam. Im Gegensatz zu Michael fand er ja auch, dass einige Entscheidungen des Schiedsrichters nicht ganz astrein gewesen waren. Jetzt konnten sie die Sache wiedergutmachen. Und allen zeigen, was ihre Mannschaft zu leisten vermochte. Allerdings: Insgeheim musste Lennart sich eingestehen, dass seine Mannschaft nicht allzu viel zu bieten hatte.

Leider bewahrheitete sich seine Befürchtung schneller, als ihm lieb war.

Die Spanier führten den Anstoß aus und kamen mit nur drei Spielzügen an die Strafraumgrenze heran, ohne dass jemand der Südafrikaner überhaupt nur den Ball berührt hätte.

»Ran da!«, brüllte Lennart

aus dem Mittelfeld heraus. Doch niemand verstand ihn. Lennart wusste nicht, was »ran da«, auf Englisch hieß. Um Jabali oder Michael zu fragen, blieb auch keine Zeit. Im Gegenteil. Jabali war derjenige, der sich dem stürmenden Spieler jetzt eigentlich in den Weg hätte stellen müssen. Doch Jabali wartete nur ab. In aller Seelenruhe konnte der Spanier einen steilen Pass genau in die Gasse zwischen Michael und Jabali spielen. Beide hatten den Laufweg nicht erkannt, den der Mittelstürmer der Spanier genommen hatte, der jetzt in ihrem Rücken den Ball in die Füße gespielt bekam und dadurch die Gelegenheit hatte, aus nur knapp neun Metern Entfernung aufs Tor zu ballern. Genau das hatte er auch vor. Er holte aus. Michael wollte das Schlimmste verhindern, setzte eine Grätsche an, sprang dem Stürmer in die Beine, der laut aufschrie und zu Boden ging wie ein gefällter Baum. Ein schriller Pfiff ertönte.

»Elfmeter!«, stöhnte Ilka vom Rand aus.

Dieser Schiedsrichter zeigte kein Erbarmen. Ohne zu zögern, zeigte er auf den Punkt. Nicht einmal Michael protestierte. Der Fall war zu klar. Keine zwei Minuten später stand es 1:0 für die Spanier.

»Wie war das noch mal?«, fragte Ilka Linh am

Spielfeldrand. »Was passiert, wenn unsere Jungs verlieren?«

Linh hatte sich die beiden Gruppen und ihre Ergebnisse fein säuberlich auf einem Zettel notiert:

Die bisherigen Spielstände in Gruppe A lauteten:

Südafrika – Brasilien   1:0
Spanien – Ghana   2:0

Jedes gewonnene Spiel brachte drei Punkte für die Siegermannschaft. Bei Punktegleichstand entschied das Torverhältnis zwischen erzielten Toren und Gegentoren über die Platzierung. Spanien hatte mehr Tore als Ajanis Mannschaft geschossen, also ergab sich folgende Tabelle:

1. Spanien   3 Punkte
2. Südafrika   3 Punkte
3. Brasilien   0 Punkte
4. Ghana   0 Punkte

Verlierer Brasilien belegte Platz 3 vor Verlierer Ghana, weil Brasilien nur ein Gegentor kassiert hatte.

Nach der Gruppenphase, also sobald jeder gegen jeden in der Gruppe gespielt hatte, spielten die beiden Gruppenersten im

Endspiel um den Turniersieg und die beiden Gruppenzweiten um Platz 3 und 4. Noch war nichts entschieden. Aber mit einem Sieg gegen die Spanier wäre die Ausgangsposition der Südafrikaner vor dem letzten Gruppenspiel natürlich deutlich besser als bei einer Niederlage.

»Puh!«, stöhnte Ilka. »Was für eine Rechnerei. Linh stimmte ihr zu. »Jedenfalls wird es schwer für die Jungs, noch den Gruppensieg und damit das Endspiel zu erreichen, wenn sie jetzt gegen Spanien verlieren sollten.«

»Schau mal!« Ilka wandte den Blick kurz vom Platz ab, weil sie den Schiedsrichter Gavivi aus dem ersten Spiel entdeckt hatte. Er stand zwischen den Sitzreihen und dem Ausgang. Plötzlich riss er die Arme hoch und jubelte. Genau wie Linh neben Ilka und Hunderte weitere im Stadion. Ilka schaute zurück zum Platz und sah, dass Südafrika den Ausgleichstreffer erzielt hatte.

»Hast du gesehen?«, freute sich Linh. »Ein echter Fallrückzieher von Lennart! Wahnsinn!«

»Oh nein, das habe ich verpasst!«, ärgerte sich Ilka. Sie sah sich nach der Anzeigentafel um und hoffte, dass dort das Tor in Zeitlupe wiederholt wurde. Doch die elektronische Tafel zeigte nur das neue Ergebnis.

Logisch, dachte Ilka bei sich. Es gab ja keine Kameras. Ohne Kameras keine Bilder.

Auf dem Feld wurde Lennart von seinen Mannschaftskameraden umringt und beglückwünscht.

»Das hättest du sehen müssen!«, begann Linh ihre Schilderung. »Lennart stand vor dem Tor. Jimmy hat geflankt, aber nicht hoch genug und auch noch in Lennarts Rücken. Ein Ball, den man eigentlich gar nicht kriegen kann. Aber dann hat Lennart sich blitzschnell mit dem Rücken zum Tor gedreht. Ist mit dem rechten Bein abgesprungen, hat das linke Bein hochgezogen, um Schwung zu holen, und ist in Rückenlage gekommen. Und dann hat er den Ball mit einem wunderschönen Fallrückzieher mit dem rechten Fuß oben links in den Winkel geknallt.«

Ilka hatte oft gesehen, wie Lennart seinen Fallrückzieher am Kopfballpendel in der Schule trainiert hatte. Jetzt hatte sie leider verpasst, wie er sein Training in die Praxis umsetzte.

Nur weil ihr Blick auf diesem Schiedsrichter Gavivi haftete. Unwillkürlich blickte Ilka wieder zu ihm hin. Jetzt telefonierte er. Seiner Mimik zufolge schien es, als würde er jemandem von dem Ausgleich auf dem Platz berichten.

Er strahlte zufrieden, während er von dem Tor erzählte.

»Seltsam!«, fand Ilka.

Linh fragte, was Ilka meinte.

»Ein Schiedsrichter muss doch neutral sein«, fand Ilka. »Guck mal, wie der sich über das Tor freut.«

»Stimmt«, pflichtete Linh bei. »Wie Lennart schon nach dem ersten Spiel gesagt hat. Als Afrikaner ist er eben nicht neutral, wenn eine afrikanische Mannschaft spielt.«

»Na ja«, beschwichtigte Ilka. »Ganz so eng würde ich das nicht sehen. Also wenn ich ein Spiel sehe, sagen wir Dänemark gegen Argentinien, dann bin ich nicht automatisch für die Mannschaft aus Europa.«

»Nee«, kicherte Linh. »Du kommst ja auch aus Australien.«

Ilka musste nun auch laut loslachen. Denn in diesem Augenblick hatte sie tatsächlich ihre eigene Herkunft vergessen und sich als Deutsche gesehen, weil sie in Deutschland lebte und dort zur Schule ging.

Den Schiedsrichter ließ sie dennoch nicht aus den Augen.

Als auf dem Feld das Spiel wieder angepfiffen wurde, verließ Gavivi das Stadion.

Ilka tippte Linh in die Seite. »Sieh mal. Jetzt haut
er ab.«

Linh sah ihm hinterher.

»Das ist doch eigenartig«, fuhr Ilka weiter fort.
»Eben noch freut er sich wie bei einem Lottoge-
winn. Und jetzt interessiert ihn das Spiel nicht
mehr?«

»Bestimmt geht er nur auf die Toilette«, vermutete Linh.

Ilka schaute auf ihre wasserdichte Sportuhr. »In
vier Minuten ist Halbzeit. So lang hätte der doch
noch warten können.«

Linh zuckte mit den Schultern.

»Ich schau mal nach«, entschied Ilka. Und lief
dem Mann hinterher.

Linh warf noch einen letzten flüchtigen Blick
aufs Spielfeld. Dann folgte sie Ilka. Zwar war die
Größe des kleinen Jugendstadions durchaus über-
schaubar. Dennoch sah Linh die Gefahr, sich hier
allein verlaufen zu können. Und wenn sie daran
dachte, was Ajani ihnen über die Kriminalität in
dieser Stadt gesagt hatte, schien es ihr ratsam, nirgends allein zu bleiben. Sie musste
sich beeilen, damit sie Ilka nicht
aus den Augen verlor, die in zü-
gigem Tempo die Treppe zum

Ausgang hinauflief. Solange der Schiedsrichter noch nicht zur Halbzeit gepfiffen hatte, konnte man sich gut fortbewegen, ohne vom Menschengedränge aufgehalten zu werden.

Ilka bog Richtung Ausgang ab. Ein Schild in die andere Richtung wies den Weg zu den Toiletten. Somit hatte Ilka doch recht gehabt, schoss es Linh durch den Kopf. Schiedsrichter Gavivi verließ das Stadion. Und das, obwohl er sich so über das Ausgleichstor gefreut hatte. Aber vielleicht hatte er nur etwas zu erledigen und wollte zum Beginn der zweiten Hälfte wieder zurück sein.

Linh rannte weiter und erreichte Ilka jetzt schnell. Denn die war hinter einem Automaten für Parktickets stehen geblieben.

Als sie Linh neben sich entdeckte, zeigte sie gleich hinüber auf den Parkplatz.

Dort stand Gavivi, drehte sich kurz nach allen Seiten um, als ob er prüfen wollte, dass ihn auch niemand beobachtete. Dann ging er auf einen Motorradfahrer zu, der mit laufendem Motor auf seiner Geländemaschine saß und offenbar auf ihn wartete. Die beiden sprachen kurz miteinander. Der Motorradfahrer überreichte Gavivi etwas, das aussah wie ein Briefumschlag. Gavivi steckte ihn sofort in seine hintere Hosentasche. Dann brauste

der Motorradfahrer davon, ohne eine Geste der
Verabschiedung. Gavivi sah dem Motorrad nicht
hinterher, sondern drehte sich sofort wieder von
ihm fort und ging mit schnellen Schritten zurück
ins Stadion.

Linh und Ilka beobachteten das Motorrad, bis es
nicht mehr zu sehen war, und behielten auch Gavivi im Auge.

Linh zog Ilka wachsam aus dessen Blickfeld
wieder hinter den Automaten. Er würde sie sicher
nicht mit den beiden Mädchen auf der Ersatzbank
in Verbindung bringen, aber Linh wollte lieber vor-
sichtig sein. Doch Gavivi hatte nicht den Bruchteil
einer Sekunde in ihre Richtung geschaut. Er ging
schnurstracks zurück ins Stadion.

Ilka setzte nach, ohne ihn aber direkt zu verfol-
gen. Sie ging einfach wieder gemeinsam mit Linh
an ihren Platz auf die Ersatzbank zurück, unten
am Spielfeldrand, schaute sich aber immer wieder
nach Herrn Gavivi um, der diesmal nicht in der
Nähe des Ausgangs stehen blieb, sondern in eine
Sitzreihe einrückte und sich auf einen freien Platz
setzte.

Ilka schaute sich die Reihe weiter an. Da saß der Trainer der
Grünheimer, die im Moment

kein Spiel hatten. Daneben der Trainer der Brasilianer. Des Weiteren einige Herren in Anzügen, die alle ein Schildchen um den Hals hängen hatten, das sie als offizielle Gäste des Turniers auswies. Und daneben ein Jugendlicher, der ein wenig gelangweilt wirkte. Er trug ebenfalls so ein Schildchen, machte ansonsten aber überhaupt nicht den Eindruck eines Offiziellen.

Ilka wies Linh auf den Jugendlichen hin. »Kennst du den?«

Linh schüttelte den Kopf. »Nö. Wieso sollte ich?«

Ilka schilderte, was ihr aufgefallen war.

Linh sah nun etwas genauer hin, kam aber lediglich zu dem Schluss, dass der Jugendliche dort oben auch keinen kannte. Jedenfalls unterhielt sich niemand mit ihm. »Vielleicht der Sohn von irgendeinem Trainer oder so«, konnte Linh sich vorstellen. »Wieso fragst du?«, setzte sie nach. »Gefällt er dir?«

»Pfft!«, antwortete Ilka. Obwohl – jetzt, da Linh sie darauf hingewiesen hatte, musste sie zugeben, dass er ihr sehr gefiel. Nicht nur, weil sie grundsätzlich braune oder schwarze Haut sehr mochte. Das kam nur daher, weil sie sich selbst als viel zu blass empfand und ständig auf die Sonne

achtgeben musste. Soweit sie auf die Entfernung
erkennen konnte, hatte auch dieser Junge wache, interessierte Augen, denen nichts zu entgehen schien. Genau das, was sie auch an Jabali und Lennart so schätzte.

Plötzlich erweckte tatsächlich irgendetwas die besondere Aufmerksamkeit des Jungen. Er reckte den Hals, als suchte er etwas.

Im selben Moment teilte Linh Ilka mit: »Es geht weiter. Die Spieler kommen zurück.«

Das war es also. Der Junge verfolgte mit äußerster Aufmerksamkeit, was sich dort unten auf dem Platz tat. Im gleichen Moment holte er sein Handy aus der Tasche hervor und – tat nichts damit!

Ilka stutzte. Wartete. Aber nichts passierte. Der Junge schrieb keine SMS, telefonierte nicht, sah sich nichts auf dem Display an. Er hielt es einfach nur in der Hand. Dies aber in einer Art und Weise, als erwarte er jeden Moment einen Anruf. Oder – es kam Ilka absurd vor, aber genau so saß der Junge da – als ob er auf ein Zeichen wartete, endlich telefonieren zu dürfen.

»Irgendwie sehe ich heute Gespenster«, sagte Ilka zu sich selbst. »Mir kommt schon wieder etwas komisch vor!«

»Stimmt«, gab Linh ihr recht. »Mir auch.«

Ilka wunderte sich. »Ja?«

»Ja!«, bestätigte Linh. »Michael spielt jetzt im Sturm. Wieso das denn? Dafür ist der doch viel zu langsam!«

Ilka hatte natürlich etwas ganz anderes gemeint. Dennoch schaute sie jetzt auf den Platz und fand sofort eine Erklärung für die taktische Umstellung durch den Trainer. »Der spielt vorn, damit er hinten die Gegner nicht ummäht und Elfer produziert«, glaubte Ilka.

Linh lachte. »Eine weise Entscheidung!«

Doch dann zeigte Ilka noch mal auf den Jungen.

Linh sah ihn sich an. Und verstand nicht, was Ilka an ihm so merkwürdig fand. »Wieso? Der telefoniert einfach, na und?«, stellte sie fest.

Das tat er jetzt tatsächlich.

Ilka wollte die Sache schon abhaken. Da sah sie, dass Ajanis Mannschaft direkt an der Strafraumgrenze schon einen Freistoß bekommen hatte. Lennart legte sich gerade den Ball zurecht. Die Spanier bildeten eine Mauer.

Ilka schaute zu dem Jungen auf der Tribüne. Er sprach nicht mehr. Hörte er zu? Zwar hielt er sich das Handy noch ans Ohr, aber seine Aufmerksamkeit galt voll und ganz dem Freistoß.

»Achtung!« Linh stieß Ilka in die Seite.

Lennart lief an. Schoss. Der Ball flog über die Mauer. Aber auch über das Tor.

»Schade!«, bedauerte Linh.

Ilkas Blick schoss sofort zurück zu dem Jungen.

Der sagte nur ein Wort. Beendete das Gespräch. Und hielt das Handy wieder nur in der Hand. Wie zu Beginn.

Ilka bildete sich sogar ein, an der Lippenbewegung das Wort erkannt zu haben, das der Junge gesagt hatte: »Failed!« Daneben!

Ilka runzelte die Stirn. Was für ein merkwürdiger Typ.

Ein wichtiger Hinweis

Zu gern hätte Ilka gewusst, mit wem der Junge da telefonierte. Und weshalb so kurz. Und weshalb er etwas durchgab, das im Spiel doch so unbedeutend war: einen Freistoß, der danebenging. Wieder griff der Junge zum Handy. Ilka drehte sich schnell zum Spielfeld, um zu sehen, was dort geschehen war. Wieder nichts Besonderes: Die Spanier hatten diesmal einen direkten Freistoß zugesprochen bekommen. Jabali, Lennart und Ajani bildeten eine Mauer. Michael blieb vorn und sah sich die Szene von Weitem an. Die anderen Mitspieler versuchten, ihre Gegenspieler abzudecken. Alle rechneten mit einer Flanke, obwohl es sich um einen direkten Freistoß handelte. Aber es waren rund 22 Meter zum Tor, da brauchte man viel Kraft, um scharf und torgefährlich direkt zu schießen. Die Dreier-Mauer galt daher eher als Vorsichtsmaßnahme Ein spanischer Mittelfeldspieler lief an. Ilka fiel auf, dass er schnurgerade auf den Ball zulief. Nicht wie die meisten von schräg oder

kurvenartig. Mit Vollspann hämmerte er den Ball
aufs Tor. Der Ball zischte direkt auf Jabalis Gesicht
zu. Jabali duckte sich instinktiv weg. Der Ball fand
so ungehindert seinen Weg zum Tor. Wayne, der
Torhüter, reagierte blitzartig. Mit einem gewal-
tigen Sprung hechtete er auf die Seite, die eigentlich durch die Mauer abgedeckt sein sollte, streckte die Arme so weit aus, wie er konnte, versuchte,
wenigstens mit den Fingerspitzen den Ball noch
um den Pfosten zu lenken. Doch er kam nicht mehr
an den Ball, der zum Führungstreffer der Spanier
ins – vom Schützen aus gesehen – obere linke Eck
einschlug. 2:1 für Spanien.

Die Anhänger der Spanier auf den Rängen jubelten.

Linh stöhnte laut auf.

Ilkas Blick flog zurück zu dem Jungen, der völlig
ruhig und ohne jegliche Emotionen vermutlich das
Ergebnis des Freistoßes durchgab.

Jetzt hatte Ilka genug. Sie wollte erfahren, was
sich hinter dem rätselhaften Verhalten des Jungen
verbarg und wem er vom Spiel berichtete. »Bin
gleich wieder zurück!«, gab sie Linh
Bescheid. »Ich will mal herauskrie-
gen, was der so komisch über
das Spiel zu telefonieren hat.«

Linh grinste. Sie war sich sicher; Ilka interessierte sich mehr für den Jungen als für seine Telefonate.

Okay!«, gab sie Ilka großzügig die Erlaubnis.

Der Junge war nicht einmal überrascht über Ilkas Frage. Oder gar abweisend, wie sie es vielleicht befürchtet hatte. Ganz im Gegenteil, er schien es gewohnt zu sein. Und machte auch überhaupt keinen Hehl aus dem, was er da tat.

»Ich rufe ein Wettbüro in der Stadt an«, verkündete er freimütig. »Bei jedem Freistoß, jedem Tor, jedem Latten- und Pfostenschuss. Bei manchen Spielen auch noch bei jedem Eckball.«

Ilka kam nicht ganz mit. Sie hatte natürlich schon davon gehört, dass man bei Fußballspielen, wie in anderen Sportarten auch, wetten konnte, etwa auf Sieg, Niederlage oder Unentschieden. Lennart hatte mal eine Zeit lang Toto zusammen mit seinem Vater gespielt, aber nie eine größere Geldsumme gewonnen. Aber da ging es auch immerhin um Vereine der 1. und 2. Bundesliga. Dies hier war ein internationales Freundschaftsturnier von Kindern!

Der Junge zuckte nur mit den Schultern. »Eigentlich ist es auch nur ein Testlauf für die Weltmeisterschaftsspiele. Die Anrufer sollen eingear-

beitet werden, die Kommunikation und der tech-
nische Ablauf geprüft. Aber wenn man das ohnehin
schon proben muss, dann kann man auch gleich
richtige Wetten abschließen.«

Ilka staunte. Da saßen also Beobachter wie dieser
Junge bei irgendwelchen Spielen und gaben den
Verlauf der Begegnungen an ihr Wettbüro weiter?

»Wettest du auch?«, fragte Ilka ihn.

Der Junge schüttelte den Kopf. »Nee, ich darf
das nicht. Ich muss ja die Dinge durchgeben, auf
die gewettet wird. Sonst könnte ich ja leicht
schummeln.«

Ilka verstand.

»Und wer wettet?«, fragte sie.

Der Junge lächelte sie mit seinen strahlend weißen Zähnen an. »Rate mal!«

Ilka zuckte mit den Schultern. Sie wusste es nicht.
Vermutlich irgendwelche Leute, die in dem Wettbüro saßen. Wenngleich sie zugeben musste: ziem-
lich viel Aufwand, jemanden mit einem Handy zum
Spiel zu schicken, nur damit vielleicht zehn oder
zwanzig Leute in dem Wettbüro wetten konnten.

»Die Chinesen!«, antwortete der
Junge, um sogleich zu ergänzen:
»Die Chinesen und die ganze
Welt!«

»Was ist mit den Chinesen?« Linh stand plötzlich neben Ilka und fragte sich, weshalb die das Spiel nicht verfolgte, sondern sich stattdessen über Chinesen unterhielt.

Ilka fasste kurz zusammen, was sie gerade von dem Jungen gehört hatte, und ließ ihn fortfahren, wo er stehen geblieben war: »In dem Wettbüro geben die dann live per Internet durch, dass hier gerade ein Freistoß oder so gepfiffen wurde. Weltweit in den angeschlossenen Wettbüros oder direkt im Internet kann man dann wetten, ob der Freistoß zum Tor führt, ins Aus geht oder an den Pfosten prallt. Sekunden später gebe ich das Ergebnis durch und die Wetter haben gewonnen oder verloren.«

»Irre!«, fand Ilka.

»Und wieso Chinesen?«, fragte Linh nach.

»Der Betreiber dieser Wetten, für die ich arbeite, sitzt in Hongkong. Dort steht auch der Internetserver«, erklärte der Junge, schaute zum Feld und wurde mit einem Mal ganz bleich. »Verdammt!«

»Was?«, fragten Ilka und Linh wie aus einem Munde. Doch dann sahen sie das Drama. Die Spanier lagen sich in den Armen und jubelten. Ihre Fans auf den Rängen tobten vor Freude.

»Ich habe das Tor verpasst!«, stammelte der Junge fassungslos.

»Na ja«, versuchte Ilka ihn zu trösten. »Halb so schlimm.«

»Wie ist es entstanden?«, fragte der Junge. Ihm standen die Schweißperlen auf der Stirn.

Ilka und Linh zuckten mit den Schultern. »Haben wir auch nicht gesehen.«

»Ich muss das wissen. Schnell!« Der Junge wurde immer nervöser.

Er tippte einen der Zuschauer vor ihm auf die Schulter und fragte, wie das Tor entstanden war.

»Eckball. Kopfstoß. Tor!«, antwortete der Zuschauer vor ihm. Und fügte noch an: »Aber der Kopfball war von einem Verteidiger! Eigentor!«

Der Junge sackte niedergeschlagen in sich zusammen.

»Was hast du denn?«, fragte Ilka. »Ist ein Tor für die Spanier wirklich so schlimm?«

Der Junge stierte sie an, als hätte Ilka sich soeben vor seinen Augen in ein Monster verwandelt. »Und ob!«, versicherte er. »Auf einen Eckball kann man wetten. Ich hab's vermasselt. Jetzt bin ich meinen Job los. Nur wegen euch!«

»Moment mal!« Linh hob be-

schwichtigend ihre Hände. »Wir haben erstens nichts getan, außer uns mit dir zu unterhalten. Warum solltest du deswegen gleich deinen Job verlieren?«

»Mann!«, schnauzte der Junge die Mädchen an. »Natürlich wird meine Arbeit überprüft. Im Spielbericht kann mein Chef nachlesen, wie viele Freistöße, Eckbälle und so weiter es gab und wie das Spiel ausgegangen ist. Da darf ich mir keine Fehler erlauben. Dafür geht es um zu viel Geld. Alles muss mit rechten Dingen zugehen!«

»Spielbericht?«

Der Junge ließ seinen Blick zum Himmel wandern, als ob Ilka und Linh von dieser Welt überhaupt nichts verstünden. »Natürlich!«, sagte er. Sein Tonfall wurde merklich ungeduldiger. Man spürte, dass er die Lust verlor, den Mädchen alles zu erklären. Vielmehr steckte er mit seinen Gedanken bereits bei der Frage, wie er seinen Fehler gegenüber seinem Chef erklären sollte und ob es vielleicht doch noch eine Chance gab, seinen Job zu behalten.

»Freistoß!«, rief Linh.

Jetzt wäre dem Jungen beinahe sein zweiter Patzer unterlaufen. Schnell griff er zum Handy und gab durch: »Freistoß für Südafrika!«

Er nahm das Handy wieder vom Ohr. Diesmal
führte Ajani den Freistoß aus. Er lief mit vollem
Tempo an, holte aus zum Schuss. Die Mauer
sprang hoch, um den Ball abzufangen. Doch Ajani
schob den Ball quer zum wuchtigen Mittelstürmer
der Südafrikaner, der den Ball aus vollem Lauf auf
den Kasten drosch. An der Mauer vorbei sauste
der Ball direkt auf den Torhüter zu, der diesen Ge-
waltschuss nur mit den Fäusten abwehren konnte.
Doch er erwischte den Ball nicht richtig. Der Ball
prallte unkontrolliert von seinen Fäusten ab, direkt
Michael vor die Füße, der den Ball nur noch ein-
zuschieben brauchte. Doch Michael war kein Tech-
niker. Der Ball sprang ihm vom Fuß gegen das
Knie, holperte ihm zurück vor die Füße. Längst
waren zwei Verteidiger zur Stelle, die den Ball aus
der Gefahrenzone schlagen wollten. Drei Spieler
standen nun um den Ball herum und stocherten
mit den Beinen in der Mitte herum wie Eishockey-
spieler mit ihren Schlägern nach dem Bully. Und
urplötzlich, niemand hatte genau gesehen, wie es
geschehen war, kullerte der Ball über die Torlinie.

Michael riss die Arme hoch, schrie
seine Freude laut heraus. Das erste geschossene Tor seines Le-
bens!

Und der Junge am Handy meldete: »Kein Tor! Kein Pfosten!«

»Hä?«, fragte Ilka. »Was soll das heißen: kein Tor? Hast du Tomaten auf den Augen?«

Der Junge blieb ernst. »Der Freistoß führte zu keinem Tor. Es war ein direkter Freistoß, wurde aber nicht direkt ausgeführt. Also haben alle, die auf Freistoßtor gewettet hatten, verloren. Kein Tor.«

Dann nahm er erneut das Handy und meldete: »Tor aus dem Spielverlauf für Südafrika.«

Erneut stutzte er und wurde nachdenklich. Es stand 3:2 für die Spanier. Nach dem, was er allerdings bisher vermeldet hatte, nur 2:2. Schmerzlich erinnerte er sich wieder an seinen dicken Fehler, den Eckball mit dem daraus resultierenden Eigentor übersehen zu haben. Was sollte er nur sagen? Mit nachdenklicher Miene schweiften seine Augen die Sitzreihe entlang und blieben bei einem Mann haften. Panik zeichnete sich auf seinem Gesicht ab.

Ilka und Linh folgten seinem Blick, konnten aber nichts Außergewöhnliches entdecken.

»Der Obmann!«, erklärte der Junge.

»Oppmann?«, fragte Linh nach. »Was ist das denn?«

»Obmann!«, korrigierte der Junge. »Schiri-Ob-

mann. Bei dem werden die Spielberichte abge-
geben. Wenn die im Wettbüro den Spielbericht mit
meinem Bericht vergleichen, bin ich gleich gelie-
fert. Wie soll ich denen denn verklickern, dass ich
einen Eckball und ein Eigentor übersehen habe?«

Dann erst erkannte Ilka den Mann. »Das ist doch
Herr Gavivi!«, rief sie. »Der Typ mit den Fehlentscheidungen!«

Der Junge verstand nicht, wovon die Mädchen
sprachen. Doch ehe sie es ihm erklärten, hakte
Linh nach. »DER arbeitet für euer Wettbüro?«

Der Junge schüttelte den Kopf. »Nein! Aber er
bestätigt die Spielberichte der Schiedsrichter. Und
meine Meldungen müssen mit den Spielberichten
übereinstimmen. Mist!«

»Erklär das mal genauer«, bat Ilka ihn. »Was ist
seine Aufgabe?«

»Na, ganz einfach. So wie ich das Spiel für das
Wettbüro beobachte, schaut er sich das Spiel für
den Fußballverband an. Und prüft, ob der Spielbericht mit dem tatsächlichen Spiel übereinstimmt.
Die im Wettbüro brauchen also nur meine Meldungen mit dem abgesegneten Spielbe-
richt des Obmanns vergleichen,
um zu sehen, dass ich alles richtig gemeldet habe. Das Wett-

büro gleicht also meine Meldungen mit den Spielberichten ab und gibt sie weiter an die Zentrale in
Hongkong. Damit sind die Wetten dann eben amt-
lich. Ich könnte höchstens Glück haben, dass im
Spielbericht nur die Tore vermerkt sind, aber nicht,
dass das Tor aus einer Ecke heraus entstanden ist.
Und es zusätzlich nicht als Eigentor eingetragen
wurde. Vielleicht war noch ein Stürmer mit dem
Fuß dran oder so. Alles sehr unwahrscheinlich,
aber meine letzte Chance.«

Damit wandte er sich von den Mädchen ab. »Ich
muss los!«

»Ich glaube, ich weiß, warum Gavivi bei unserem Spiel so katastrophal gepfiffen hat«, sagte
Ilka. Sie zog Linh hinter sich her und lief zurück
zur Ersatzbank runter.

Das Spiel ist aus

2:3 verloren. Michael stampfte enttäuscht vom Platz und wurde von Linh empfangen.

»Mach dir doch nichts draus!«, tröstete sie. »Man kann immer mal verlieren.«

»Ja!«, brummte Michael zurück. »Aber nicht durch ein Eigentor!«

Er stampfte an Linh vorbei in die Umkleidekabine, ohne sie anzusehen.

»Dabei war das wirklich Pech«, erläuterte Lennart, der nur wenige Meter hinter Michael an Linh vorbeikam. »Aber er macht sich die größten Vorwürfe.«

Auch Lennart zog weiter in die Kabinen.

Linh schaute zu Ilka, die ebenso langsam kapierte. Offenbar war das 1:3 durch ein Eigentor von Michael gefallen.

Ilka drehte sich schlagartig um, ob sie den Jungen noch sehen konnte.

Er stand noch da, wo zuvor Herr Gavivi gesessen hatte. Er machte ein äußerst betrübtes Gesicht.

Ilka musste ihn nicht fragen, um zu wissen, was passiert war. Im Spielbericht würde genau das stehen, was nicht drinstehen durfte, aber der Wahrheit entsprach: Tor für die Spanier durch Eckball und Eigentor. Der Junge würde seinen Job verlieren.

Ilka lief los, nahm sich aber nicht einmal die Zeit, nach seinem Namen oder seiner Handy-Nummer zu fragen.

Sie hielt sich gar nicht weiter mit ihm auf, was Linh erneut verwunderte.

Ilka rannte an dem Jungen vorbei weiter zum Ausgang des kleinen Stadions.

»Wohin willst du?«, fragte Linh, während sie ihrer Freundin hinterherlief.

Ilka drehte sich nicht um, um zu antworten. Auf gar keinen Fall wollte sie ihr Zielobjekt aus den Augen verlieren.

»Wir dürfen ihn nicht verlieren«, rief sie Linh hinter sich zu, wobei sie die Augen nach vorn gerichtet hielt.

»Wen?«

»Gavivi!«, antwortete Ilka.

Da Herr Gavivi draußen am Straßenrand stehen blieb, hatten auch Ilka und Linh Gelegenheit zu einer kleinen Verschnaufpause.

»Was ist denn bloß los?«, wollte Linh wissen.

»Wie kann man am meisten Geld mit den Wet- ten machen?«, fragte Ilka in einem Ton, der keinen Zweifel daran ließ, dass sie die Antwort schon wusste. Deshalb rätselte Linh gar nicht erst, zog nur erwartungsvoll die Augenbrauen hoch.

»Wenn man die Ergebnisse vorher kennt!«, lautete Ilkas einleuchtende Antwort.

Dagegen war nichts einzuwenden. Die Frage war nur, woher sollte man ...

Linh schlug sich mit der Hand vor die Stirn.

»Indem man entweder die Spielberichte manipuliert«, zählte Ilka die eine Möglichkeit auf.

»Oder sich die Ergebnisse so zurechtpfeift, wie man selbst gewettet hat«, nannte Linh die zweite Variante des Wettbetrugs.

Und Ilka schloss ihre gemeinsame Vermutung ab: »So wie in dem Spiel Südafrika gegen Brasilien. Brasilien war Favorit. Also erhielt man bei Sieg von Südafrika eine hohe Gewinnquote. Wenn dann noch Anzahl und Ergebnisse der Eckbälle und Freistöße stimmen, kann man schon ein hübsches Sümmchen einsacken.«

Ilka und Linh nickten sich zu. Sie wussten nicht, ob Herr Gavivi wirklich Spielberichte fälschte. Denn diese Methode erschien ihnen

doch recht riskant. Aber ganz bestimmt hatte er so miserabel gepfiffen, weil dies zu seinen eigenen Wetten passte. Das wiederum bedeutete: Er brauchte jemanden, der die Wetten für ihn abschloss, denn selbst konnte er das als Schiedsrichter schlecht machen.

»Der hat einen Strohmann, darauf wette ich!«, war sich Ilka sicher.

»Strohmann?«, fragte Linh. Von so einem Mann hatte sie noch nie gehört. »So etwas wie eine Vogelscheuche?«

»Nein!«, lachte Ilka. Stolz darauf, dass es mal etwas gab, das sie Linh erklären konnte. Meistens war es umgekehrt. »Strohmann nennt man jemanden, der ersatzweise für jemanden ein Geschäft abschließt, damit niemand mitbekommt, wer wirklich dahintersteckt.«

»Also doch wie eine Vogelscheuche«, beharrte Linh. »Die steht ja auch ersatzweise für den Bauern auf dem Feld und verscheucht die Vögel.«

»Stimmt«, musste Ilka zugeben. »Also ein Strohmann ist wie eine Vogelscheuche, die Geschäfte abschließen kann. Und damit Herr Gavivi unerkannt bleibt, braucht er für seine Wetten so einen Strohmann.«

Linh staunte, dass Ilka das alles wusste. Und

auch darüber, dass sie nun gewissermaßen eine
lebende Vogelscheuche jagten.

»Der Typ vorhin auf dem Motorrad!« Das war für Ilka gar keine Frage. Nur, wie konnten sie den wiederfinden? Und wenn, wie ihm den Betrug nachweisen?

»Aber wir müssen es schaffen«, forderte Ilka. »Nicht nur, damit bei diesem Turnier nicht betrogen wird. Vielleicht gibt es so auch noch eine Chance, dass der Junge seinen Job wiederbekommt.«

»Ich weiß vielleicht, wie wir ihn überführen können.« Linh hatte mal wieder eine Idee.

Die Entscheidung

»Das glaube ich nicht!«, rief Ajani empört. »Das ... das ...!« Er war so fassungslos über das, was Linh und Ilka ihm berichteten, dass es ihm zunächst glatt die Sprache verschlug. Doch dann sprudelte er los: »Das bringt das ganze Projekt hier in Verruf. Unsere ganze Fußballliga. Die ganze Fußball-WM, ach, was sage ich: das ganze Land.« Er gestikulierte dabei wild mit den Armen in der Luft herum, stampfte auf und ab.

Ilka und Linh hatten vor dem Stadion auf ihre Freunde gewartet, nachdem Herr Gavivi in ein Auto gestiegen und weggefahren war. Ajani, Jabali, Michael, Lennart und die Mädchen trotteten zurück zu ihrem Quartier. Auf dem Weg hatte Ilka von ihrem Verdacht erzählt. Die Idee auszuführen, wie man ihrer Meinung nach Herrn Gavivi überführen konnte, dazu war Linh noch gar nicht gekommen.

Immer wieder blieb Ajani stehen, schüttelte den

Kopf, gestikulierte wild. Er war außer sich. Es war
so ungeheuerlich, was die beiden Mädchen ihm da
erzählten, dass … dass … genau: er es am liebsten gar nicht gehört hätte. Er murmelte immer
wieder vor sich hin: »Nein, das kann nicht sein.
Erstens sowieso nicht, zweitens erst recht nicht
Herr Gavivi.«

»Doch!«

Alle wandten sich um.

Nur Ajani wusste sofort, zu wem die Stimme
gehörte. »Nelson!«

Die anderen erkannten ihn erst auf den zweiten
Blick. Und auch nur, weil Nelson in einer kurzen
Sporthose dastand. Das rechte Bein mit einem
dicken Verband umwickelt. Mit dem rechten Arm
stützte Nelson sich auf eine Krücke. Der linke
Arm war eingegipst und hing in einer schwarzen
Schlinge. Da Nelson ein Fußballtrikot trug, wirkte
er, als hätte er sich soeben in einer heldenhaften
Abwehrschlacht auf dem Spielfeld so verletzt.
Doch alle wussten, dass Nelsons Verletzungen und
Blessuren von dem Überfall auf offener Straße auf
ihn und zwei andere Mitspieler her-
rührten.

»Wie geht es dir?«, fragte Ajani, obwohl man es deutlich sah.

»Vier Wochen keinen Sport«, antwortete Nelson nur.

»Und die anderen?«, fragte Ajani.

»Kommen morgen und übermorgen aus dem Krankenhaus. In vier Wochen sind wir alle wieder dabei!«

»Gott sei Dank!«, atmete Ajani auf.

Doch Nelson empfand es nur als schwachen Trost. »Dann haben wir Winterpause«, erinnerte er. »Aber immerhin kann ich mir ein paar WM-Spiele ansehen. Das Sportprojekt hat uns dreien Karten besorgt!«

Ajani reckte den Daumen. »Super!«

»Ja!« Nelson nickte ihm zu. »Aber nur, wenn die Spiele nicht manipuliert werden.«

»Manipuliert?«, wiederholte Ajani entsetzt.

Nelson nickte mit bitterer Miene. »Ich hab gehört, was ihr ...«, er blickte zu Ilka und Linh, »erzählt habt. Ihr habt recht.«

»WAS?«, entfuhr es Ajani. »Du hast davon gewusst?«

Seine Frage klang vorwurfsvoll. Deshalb hob Nelson ihm die freie linke Hand in der Schlinge abwehrend entgegen. »Wir ...«, begann er zögerlich. Und wurde sogleich erneut von Ajani unterbrochen.

»Wir?« Ajani ahnte, was das »wir« bedeutete. Aber er mochte es nicht glauben.

Doch Nelson nickte. »Ja, Tutu und Berta waren dabei. Wir haben mal zufällig mitbekommen, wie Gavivi einen Geldumschlag erhalten hat«, erzählte Nelson weiter. »Morani, der ihm den Umschlag übergeben hat, wohnt bei Tutu in der Straße. Die Familie ist genauso arm wie Tutus oder wie unsere. Aber plötzlich kaufte sich Moranis Familie einen neuen Fernseher. Und sein großer Bruder bekam ein Mofa. Nagelneu! Da haben wir natürlich nachgefragt.«

»Und?«, fragte Ilka.

»Eine Woche später lagen wir im Krankenhaus!«, fasste Nelson zusammen. »Mit der Drohung, wenn wir etwas sagen, würde es uns noch mehr an den Kragen gehen.«

»Verdammt!« Michael spuckte voller Verachtung auf die Straße.

»Klar! Nicht nur Gavivi macht mit den Wetten viel Geld. Einen Teil davon muss er natürlich Morani abgeben«, sagte Linh.

»Und die Einnahmequelle wollen sich Morani und seine Familie natürlich nicht zerstören lassen!«, folgerte Ilka.

Ajani verstand nun, weshalb die drei Jungs in der Klinik so wortkarg gewesen waren und keine Frage zu dem Überfall beantwortet hatten. Aber jetzt, da die Fünf Asse Gavivis Machenschaften durchschaut hatten, gab es für Nelson keinen Grund, länger zu schweigen.

»Wir müssen etwas unternehmen!« Das war für Ilka völlig klar. Sie wies auf Linh: »Linh hat da eine Idee!«

»Spinnst du?«, fuhr Lennart sie an. »Guck dir mal Nelson an. Und die beiden anderen hast du auch gesehen. Willst du genauso enden?«

»Feigling!«, zischte Ilka ihn an.

Lennart schnappte nach Luft. »Zwischen Mut und Dämlichkeit gibt es einen großen Unterschied«, verteidigte er sich. Und fügte an: »Wir sind hier zu Gast. Was geht uns das an?«

»Pfffft!« Ilka ließ Luft ab wie eine alte Luftmatratze, um sich zu beruhigen und nicht gleich wild auf Lennart loszugehen. »Stattdessen spielen wir bei einem Turnier mit, in dem die Spiele manipuliert werden?«

»Es geht um das ganze Land!«, erinnerte Jabali. »Das hast du doch gesagt, Ajani. Oder?«

Ajani nickte. »Wenn das hier wirklich nur die Probe für die WM ist, dann gute Nacht.«

Ilka presste die Lippen zusammen, verschränk-te die Arme und schaute Lennart böse an. Sie brauchte nichts mehr zu sagen. Ihr Blick war eindeutig: Also, Lennart?

»Oh verdammt, Leute!«, stieß Lennart aus. »Das wird eine höchst gefährliche Sache.«

Mit anderen Worten: Er machte mit!

Vorbereitungen

Das letzte Gruppenspiel von Ajanis Mannschaft stand bevor. Gegen Ghana. Nach der Niederlage gegen Spanien war das Risiko, auf einen Sieg für Südafrika zu wetten, noch größer geworden. Und darum war die Wettquote, also der Erlös bei einem richtigen Tipp, noch mal ganz erheblich gestiegen.

Die jüngsten Ergebnisse lauteten:
Brasilien – Ghana 3:0
Südafrika – Spanien 2:3

Daraus ergab sich folgende Tabelle:

	Punkte	Tore
1. Spanien	6	5:2
2. Brasilien	3	3:1
3. Südafrika	3	3:3
4. Ghana	0	0:5

Südafrika hatte durch die Niederlage gegen Spanien leider kaum noch eine Chance auf den Gruppensieg. Nur mit einem hohen Sieg gegen Ghana bei einer gleichzeitigen knappen Niederlage der Spanier gegen Brasilien – wie zum Beispiel 1:2 – konnten die Südafrikaner gerade noch so ins Endspiel rutschen.

In der zweiten Gruppe ging es den Grünheimern ähnlich. Deswegen drückte Michael allen anderen kräftig die Daumen. Um nichts in der Welt wollte er ausgerechnet die Grünheimer im Endspiel sehen.

»Eine ideale Voraussetzung für ein spannendes Turnier«, fand Linh. »Natürlich nur, wenn alles mit rechten Dingen zugeht.« Denn diese Voraussetzungen boten gleichzeitig die besten Bedingungen für einen lohnenswerten Wettbetrug. Und das Spiel von Südafrika würde wieder Gavivi pfeifen!

Eine Voraussetzung dafür, dass Linhs Plan aufging, war, dass der Jugendliche aus dem Wettbüro erschien. Denn er kannte die Details des Wettablaufs.

»Meinst du wirklich, er kommt?«, fragte Ilka skeptisch.

Sie stand gemeinsam mit Nelson und Linh vor dem Eingang des Stadions. Jabali, Ajani und die anderen Jungs waren bereits im Stadion

verschwunden, um sich auf das entscheidende Spiel gegen Ghana vorzubereiten.

Nelson hatte sich auf eine kleine Mauer am Wegrand gesetzt, weil er mit der Krücke nicht so lange stehen konnte, und nickte ihr zu. »Ich denke schon«, machte er Ilka Mut. »Immerhin besitzt er bestimmt noch die Freikarte für alle Spiele. Warum sollte er sich die entgehen lassen?«

Ilka wiegte den Kopf hin und her. Wenn sie ehrlich war, wusste sie nicht, ob sie sich diese Spiele ansehen würde, wenn nicht gerade ihre besten Freunde auf dem Platz standen. Von den Grünheimern zum Beispiel hatte sie sich nicht ein einziges Spiel angesehen. Und auch sonst keins der anderen Gruppe.

Aber das Stadion füllte sich und so blieb auch die Hoffnung, dass der Junge wiederkehren würde. Immerhin wussten sie, dass er diesen Eingang benutzen würde. Denn dies war der einzige Zugang für die Besitzer von besonderen Freikarten.

»Es wird Zeit!« Linh schaute ungeduldig auf die Uhr. Ausgerechnet Linh. Wenn jemand die Ruhe weg hatte und niemals ungeduldig wurde, dann sie. Soweit Ilka den Jungen verstanden hatte, konnte man zwar während des gesamten Spiels wetten – auf jeden Freistoß, auf jeden Eckball und

so weiter –, dennoch beschlich sie das unbehag-
liche Gefühl, irgendwie zu spät dran zu sein, um
die Falle zuschnappen zu lassen.

Außerdem mussten sie noch unbedingt heraus-
bekommen, worauf Gavivi gesetzt hatte, beziehungsweise durch seinen Strohmann setzen lassen
hatte. Das konnte ihnen vermutlich am ehesten
der neue Spielbeobachter für das Wettbüro sagen.
Aber noch hatten sie auch nicht herausbekom-
men, wer dieser Ersatzmann für den gefeuerten
Jungen war.

Am besten wäre es gewesen, wenn einer von
ihnen die Rolle übernommen hätte. Doch so schnell
ging es nicht, sich gewissermaßen »undercover«
in das Wettsystem einzuschmuggeln. So blieb nur,
auf den Jungen zu warten und zu hoffen, dass er
ihnen helfen konnte und helfen wollte.

»Da ist er!«, rief Ilka.

Unterdessen bereitete sich Ajanis Mannschaft
in ganz besonderer Weise auf das Spiel vor. Die
komplette Mannschaft saß bereits fertig umge-
zogen in der Umkleidekabine. Ajani hatte den
Trainer gebeten, eine kleine Rede
halten zu dürfen, und hatte die
Erlaubnis bekommen. In wenigen Worten fasste er zusam-

men, was Linh und Ilka entdeckt hatten, wies darauf hin, wer schuld an dem Überfall auf drei ihrer Mitspieler war und dass es nun darum ginge, den Verantwortlichen für den Betrug am Spiel und die Leiden ihrer Freunde zu überführen.

Der Trainer hörte sich das, was Ajani zu sagen hatte, mit entgeisterter Miene an. Niemand hatte bisher mit ihm geredet und so war alles, wovon Ajani sprach, vollkommen neu für ihn. Wie Ajani konnte auch er kaum fassen, welche Vorwürfe da gegen Herrn Gavivi erhoben wurden. Doch Tutu und Berta waren zurückgekehrt und hatten das, was Nelson berichtet hatte, bestätigt. Ajani musste also niemanden mehr überzeugen. Alle glaubten ihren drei Mitspielern, die nur deshalb Opfer eines brutalen Überfalls geworden waren, damit sie schwiegen und nichts von ihrem Wissen vorbrachten.

Ajani erklärte noch mal kurz Linhs Plan, um Herrn Gavivi so sehr in die Bredouille zu bringen, dass er sich gewissermaßen selbst verriet. Dazu war es notwendig zu erfahren, auf was Herr Gavivi über seinen Mittelsmann gewettet hatte. Hatte er zum Beispiel »vorausgesehen«, dass es im Spiel zwei Elfmeter geben würde, dann würde er diese zwei Elfer auch irgendwann geben.

»Nur danach«, so erläuterte Ajani weiter, »wird er sich auf Teufel komm raus weigern, einen weiteren Elfer zu pfeifen. Denn damit würde er seine eigene Wette versauen. Und genau dann wird einer von uns den Ball im Strafraum mit den Händen fangen. So offensichtlich, dass Herr Gavivi einfach pfeifen muss! Und so machen wir es bei allem: den Eckstößen, den Freistößen und so weiter. Wir zwingen Herrn Gavivi, entweder gegen seine eigene Wetten zu pfeifen oder so deutliche Fehlentscheidungen zu treffen, dass er sich als Schiedsrichter nirgends mehr blicken lassen kann.«

Die Mannschaft applaudierte. Nur Berta leuchtete der Plan noch nicht ganz ein: »Herr Gavivi wird eher seine Wette sausen lassen, als sich so bloßzustellen. Da gewinnt er eben mal nicht. Das kann er sicher verkraften.«

Ajani grinste ihn an. Auf diese Frage war er vorbereitet. Denn Linh hatte auch daran gedacht. Er gab Jabali einen Wink, um Bertas Frage zu beantworten.

»Das ist genau die Aufgabe, die Linh und Ilka in diesem Moment gemeinsam mit Nelson lösen wollen«, erklärte Jabali. »Sie versuchen gerade,

Gavivis Strohmann Morani zu finden. Aber das klappt nur mithilfe des Jungen, der bisher die Spielverläufe durchgegeben hat. Wir hoffen, dass er an Gavivis Wettschein kommen kann. Wenn unser Plan klappt, dann wird Herr Gavivi in der Halbzeit eine schöne Überraschung erleben.«

Ilka und Linh benötigten nicht lange, um den Jungen für eine Mitarbeit zu gewinnen. Schließlich hatte er seinen Job verloren. Und wenn Linhs Plan aufging, dann bestand immerhin eine kleine Chance, ihn wiederzubekommen.

»Ich bin nämlich überzeugt«, fügte Linh an, »dass dein Wettbüro ehrlich arbeitet und denen sehr daran gelegen ist, einen Betrüger wie Gavivi zu enttarnen.«

Der Junge nickte. Das konnte er sich auch gut vorstellen. Sofort war er mit Feuereifer dabei, den Mädchen zu helfen.

»Wie heißt du eigentlich?«, fragte Ilka.

»Biko«, antwortete der Junge und ließ sich die Namen von Ilka, Linh und Nelson geben.

»Linh?«, fragte er nach. »Bist du Japanerin?«

Linh erklärte ihm, dass sie in Vietnam geboren worden war, aber in Deutschland lebte, genauso wie Ilka, die eigentlich Australierin war.

»Australien?«, schwärmte Biko. »Wow!«

Ilka wunderte sich. Wie konnte jemand, der in einem so traumhaft schönen Land wie Südafrika lebte, sie wegen ihrer Heimat Australien beneiden?

»Südafrika ist groß«, antwortete Biko. »Und schön. Aber nicht hier, wo ich wohne. Eines Tages werde ich von hier fortgehen. Vielleicht nach Kapstadt. Auch deshalb brauche ich den Job.«

»Okay«, kam Nelson zum Thema zurück. »Wir haben nicht viel Zeit. Das Spiel wird gleich angepfiffen.«

Linh stimmte ihm zu und erklärte Biko, worum es ging. Ihre Erläuterung beendete sie mit der Frage: »Kennst du Morani, den Strohmann von Gavivi?«

Biko schüttelte den Kopf. Aber der Name würde sicher ausreichen, um den Wettschein zu finden. »Der Clou an den Wetten ist ja, dass sie weltweit laufen. Vor allem übers Internet. Hier im lokalen Wettbüro werden nur wenige Wetten gesetzt. Da bekommen wir bestimmt heraus, welcher zu Morani beziehungsweise Gavivi gehört.«

»Meinst du?« Ilka blieb skeptisch. »So etwas ist doch bestimmt geheim, oder nicht?«

Biko warf ihr ein freundliches Lächeln zu. »Es geht schließlich auch um einen Betrug am Wettbüro. Da muss man schon mal eine Ausnahme machen. Ich rufe gleich den Chef an. Hat jemand von euch ein Handy? Ich hab kein eigenes.«

Ilka griff instinktiv in ihre Tasche. Dorthin, wo sie sonst immer ihr Handy verstaute. Dann fiel ihr ein, dass ihr Handy in Südafrika nicht funktionierte. Deshalb hatte sie es auch gar nicht erst mitgenommen. Linh erging es ebenso. Und Nelson besaß ohnehin kein Handy.

»Dann muss ich eben hinfahren«, sagte Biko.

Ilka sah sich um, konnte aber kein Fahrrad entdecken.

»Der Bus braucht zwanzig Minuten«, erklärte Biko, als er Ilkas fragenden Blick sah.

Linh seufzte. Ihnen lief die Zeit davon. Aber eine andere Möglichkeit blieb nicht. »Wir kommen mit«, entschied sie.

Doch Biko wiegelte ab. »Der Weg ist nicht ungefährlich. Ihr solltet besser nicht ohne erwachsene Begleitung in die Stadt.«

Ilka und Linh nickten. Biko hatte recht.

»Na also«, setzte Biko nach. »Ich kann keine Verantwortung für euch übernehmen.«

Ilka grinste ihn keck an. »*Ich kann keine Verant-*

wortung für euch übernehmen.« Das klang für sie
verdammt nach: »Nun kommt schon!«

»Ich bleib hier!«, erklärte Nelson. Mit seiner Krücke konnte er sich nur schlecht bewegen. Linh erklärte sich bereit, bei Nelson zu bleiben.

So machten Ilka und Biko sich allein auf den Weg. Kaum hatten sie das entschieden, rollte der Bus an. Die beiden mussten sich beeilen, ihn zu erwischen und noch einen Platz zu ergattern.

Das Entscheidungsspiel

Zur gleichen Zeit wurde das Spiel angepfiffen. Nachdem die Spieler alles für ihren Plan geklärt hatten, hatte der Trainer ihnen eingeschärft, die Ghanaer nicht zu unterschätzen, nur weil sie bisher jedes Spiel verloren hatten. Das bedeutete gar nichts, hatte Herr Tomsen gewarnt. Und bis auf die verabredeten Szenen, mit denen sie Gavivi das Handwerk legen wollten, sollte es ein Spiel wie jedes andere werden. Vorerst wusste sowieso niemand, worauf Gavivi gesetzt hatte. Einerseits konnte es gut sein, dass er auf die Südafrikaner im Endspiel gewettet hatte. Andererseits standen die Quoten auf einen Sieg der Ghanaer nicht schlecht. Auch damit ließ sich eine Menge Geld verdienen.

Lennart stand im zentralen Mittelfeld und schaute sich um. Wieder eine tolle Kulisse, fand er. Eine ideale Möglichkeit, sich auf die WM der großen Profis einzustimmen. Wenn das alles nicht unter dem dunklen Schatten von Gavivis Machenschaften stehen würde. Er hoffte sehr, dass Linhs

Plan funktionierte und Gavivi und seinen Helfern das Handwerk gelegt wurde. Er schaute sich um, ob Linh oder Ilka zu sehen waren. Er konnte keine von beiden entdecken. Stattdessen aber die Grünheimer, die mit der kompletten Mannschaft angerückt waren. Auch sie hatten noch eine hauchdünne Chance auf das Endspiel und wollten sich mit Südafrika den möglichen Gegner anschauen. Lennart hoffte, dass Michael ... Doch der hatte sie natürlich auch schon erspäht.

»Schon gesehen?«, rief er gerade zu Jabali hinüber, obwohl Jabali ganz hinten in der Abwehr stand. »Die Grünschleimer sind auch da. Also keine Patzer!«

Jabali gab Michael ein Zeichen, dass er lieber den Anstoß nicht verpassen sollte, der jetzt ausgeführt werden musste. Gavivi hatte das Spiel angepfiffen.

Wie der Trainer vorausgesehen hatte, machten die Ghanaer gleich volles Tempo. Ihre Stürmer rannten auf den ballführenden Mann zu, der schnell abspielte. Aber schon wurde auch der Nächste gehetzt.

Die spielen totales Pressing, erkannte Lennart. Dagegen half nur, den Ball laufen zu lassen,

damit die Gegner sich totrannten. Um dann im richtigen Moment mit einem langen Pass das Spiel zu öffnen und durch ein, zwei schnelle Spitzen vorn zu Torchancen zu kommen. Genau das hatte ihnen der Trainer auch gesagt. Aber irgendwie schien Jabali das nicht richtig verstanden zu haben. Der trottete nämlich gerade mit dem Ball am Fuß gemächlich Richtung Mittellinie. Und sah nicht, wie gleich zwei Ghanaer wie Raubkatzen, die eine schwache Antilope ausfindig gemacht hatten, auf ihn zustürzten.

»Spiel ab!«, rief Lennart. Er lief sich frei, bot sich an, indem er mit den Armen wedelte. »Spiel ab! Schnell!«

Bloß keinen Ballverlust, dachte Lennart. Nichts wäre schlimmer, als wenn das Pressing der Gegner auch noch von Erfolg gekrönt würde.

»Spiel ...!«

Da war Jabali den Ball schon los. Erschrocken, als wäre es ein unvorhergesehenes Weltwunder, dass es beim Fußball auch Gegenspieler gab, sah er dem Ghanaer hinterher, der jetzt den Ball führte und schnurstracks aufs Tor zulief. Der andere Ghanaer kreuzte den Weg hinter ihm, um sich im Strafraum zum Anspielen anzubieten. Und prompt kam der Pass. Genau im richtigen Mo-

ment. Genau in die Gasse. Der Ghanaer brauchte
den Ball nur noch direkt ins lange Eck zu schieben,
was er auch tat.

Die Ghanaer jubelten. Die Grünheimer am Spielfeldrand feierten. Lennart fluchte. Und Schiedsrichter Gavivi pfiff Abseits.

Pfiffe schallten von den Rängen. Auch Lennart
wusste: Nie und nimmer war das Abseits! Der ghanaische Stürmer hatte extra noch den Pass abge-
wartet, bevor er volles Tempo aufgenommen hatte. Sein Mitspieler hatte genau im richtigen Moment abgespielt. Aber nun wusste Lennart: Herr
Gavivi hatte auf Südafrika gesetzt.

Genau das wussten 40 Minuten später auch Biko
und Ilka. Stolz hielt Biko eine Kopie des Wett-
scheins in der Hand, den Gavivi über Morani hatte
setzen lassen.

Auf dem Rückweg blieben Ilka und Biko nicht
allein. Herr Bikele, der Leiter des Wettbüros, war
natürlich zunächst skeptisch gewesen, als Ilka
und Biko ihm von den Vorfällen berichteten. Doch
dann hatte er sich entschieden, alles daranzu-
setzen, den Betrüger zu entlarven.
Schließlich ging es auch um das
Ansehen und die Existenz seines Wettbüros. Doch bevor sie

die Polizei einschalteten, mussten sie Herrn Gavivi auf frischer Tat ertappen. Linhs Plan begeisterte auch Herrn Bikele. Mit dem Auto fuhr er Ilka und Biko zurück zum Stadion und hatte genau die Überraschung in der Tasche, die Schiedsrichter Gavivi in der Halbzeitpause serviert werden sollte.

Der Zeitplan passte perfekt. Als die drei das Stadion erreichten, waren es nur noch fünf Minuten bis zur Halbzeit.

Nelson und Linh erwarteten die beiden aufgeregt. Als Ilka ihnen Herrn Bikele als den Leiter des Wettbüros vorstellte, wusste Linh, dass ihr Plan funktionierte.

»Und wie läuft es hier?«, fragte Ilka.

»Die Ghanaer sind klar besser«, erzählte Nelson. »Die haben aus ihren Niederlagen gelernt, ein paar Positionen neu besetzt und spielen richtig guten Fußball.«

»Oh!«, wunderte sich Ilka. »Aber hat Gavivi nicht auf Südafrika gesetzt? Das sagt jedenfalls der Wettschein, den wir haben.«

»Deshalb führen wir ja auch 1:0«, ergänzte Linh. »Immer, wenn die Ghanaer gefährlich werden, pfeift Gavivi Abseits oder Foul.«

»Ist das nicht zu offensichtlich?«, zweifelte Biko.

Doch Gavivi war alles andere als ein Anfänger.

In jedem Zweikampf gab es umstrittene Situationen, die man pfeifen konnte oder eben nicht. Gavivi wusste geschickt auf diesem schmalen Grat zu wandern und immer so zu pfeifen, dass die Ghanaer ihren gerade eben herausgespielten Vorteil nicht nutzen konnten.

»Für unsere Zwecke ist das aber ideal«, behauptete Linh. Sie warf einen erwartungsvollen Blick zu Herrn Bikele, der sich schon umsah und schnell fand, wen er gesucht hatte. Der Strohmann von Herrn Gavivi, Morani, stand an der Getränkebude im Stadion, genau dort, wo Herr Bikele sich mit ihm telefonisch verabredet hatte. Dem Plan entsprechend hatte Herr Bikele dem Strohmann erzählt, dass auf dem Wettschein nicht wie üblich 5 000 Rand (etwa 450 Euro) gewettet wurden, sondern das Zehnfache. Der Strohmann Morani war entsetzt gewesen und wollte Herrn Bikele sofort sprechen.

Natürlich war das nur die Falle, die Linh sich ausgedacht hatte. Wenn es für Herrn Gavivi um richtig viel Geld ginge, dann musste er auf dem Spielfeld unbedacht handeln.

»Gleich wird er sich wundern«, schmunzelte Herr Bikele und machte sich auf den Weg.

Linh, Ilka, Nelson und Biko gingen in der Zwischenzeit auf ihre Plätze und warteten gespannt auf den Beginn der zweiten Halbzeit. Sie hofften, dass Jabali, Lennart, Michael, Ajani und die anderen dort auf dem Platz ihre Sache gut machen würden.

An dem Gejohle der Grünheimer am Spielfeldrand erkannte Linh, dass Lennart und die anderen Jungs aufliefen. Da sah sie sie auch schon. Lennart blieb stehen, als er halb auf den Platz gelaufen war, drehte sich um, suchte den Blickkontakt mit Linh. Als er ihn gefunden hatte, streckte er ihr den Daumen empor.

»Alles klar!«, verstand Linh.

Die Grünheimer verstanden diese Geste natürlich völlig anders.

»Ihr führt nur mit Glück!«, rief Tom von den Grünheimern ihm zu. »Der Schiedsrichter ist voll auf eurer Seite!«

»Wenn der wüsste, wie recht er hat«, dachte Lennart bei sich. Aber genau diesem ungerechten und unsportlichen Treiben würden sie jetzt ein Ende bereiten.

»Da kommt Gavivi!«, rief Ilka und tippte Linh aufgeregt in die Seite. »Der sieht plötzlich ganz blass aus!«

»Ja!«, lachte Linh. »Was nicht leicht ist bei einem Schwarzen!«

»Kein Wunder!«, freute sich Ilka.« Jetzt wo er weiß, dass er das Zehnfache auf den Sieg von Südafrika gesetzt hat. 4500 Euro!

Biko musste mitlachen. »Der wird gleich noch blasser, wenn er Jabalis Eigentor sieht.«

Das war der nächste Teil des Plans. Da Gavivi auf Südafrika gesetzt hatte, mussten sie erst mal den Spielstand ausgleichen. Und wenn Gavivi es mit seinen unfairen Entscheidungen nicht zuließ, dann machten sie es eben selbst.

Schon beim ersten Ballbesitz der Südafrikaner spielte Lennart den Ball zurück zu Jabali. Jabali passte weiter zurück zum Torwart, wobei er den flachen Pass stärker schoss, als er es normalerweise getan hätte. Der Torhüter lief dem Ball entgegen. In die Hand nehmen durfte er ihn nicht bei einem Rückpass. Also tat er, was alle Torhüter getan hätten. Er nahm Anlauf, um den Ball nach vorn zu schießen. Doch wie verabredet, schlug der Torhüter über den Ball in die Luft, während der Ball unter seinem Fuß weiter bis ins Tor kullerte.

Die Ghanaer jubelten.

Der Torhüter sank verzweifelt zu Boden, hielt sich die Hände

an den Kopf und ließ sich von seinen Mitspielern für seinen groben Fehler trösten.

»Der hätte Schauspieler werden können«, grinste Ilka. Eigentlich war es ihr natürlich überhaupt nicht recht, an so einem abgekarteten Spiel beteiligt zu sein. Aber eine andere Chance gab es nicht, das Turnier zurück zu einem fairen Wettbewerb zu führen.

Herr Gavivi war von dem Torwartfehler derart überrascht, dass selbst ihm kein Vorwand mehr einfiel, das Tor nicht zu geben. Es stand 1:1. Und damit würde Herr Gavivi seine Wette verlieren und nicht nur 5000, sondern 50000 Rand verlieren, mehr als 4500 Euro!

Gavivi würde ihnen zwar alle »Unterstützung« zukommen lassen und versuchen, die Südafrikaner irgendwie mit einem Tor wieder auf die Siegerstraße zu führen. Aber was er noch nicht wusste: Unter keinen Umständen würden die Südafrikaner jetzt noch ein Tor schießen. Genau das hätten sie aber tun müssen, um Gavivis Geld zu retten.

»Der Arme«, fing Linh schon an, ihn zu bedauern. »All seine Mühen werden vergeblich sein!«

»Jetzt hab bloß nicht noch Mitleid mit ihm!«, widersprach Ilka. »Denk lieber mal daran, wie unsere Jungs für die gute Sache leiden!

Damit hatte sie den Nagel auf den Kopf getroffen. Nichts fiel Michael schwerer, als zu verlieren. Wenn er das auch noch absichtlich tun musste, war es doppelt schmerzhaft. Das hatte er natürlich noch nie getan. Jetzt merkte er, dass es noch viel schlimmer war, als er es sich je hätte vorstellen können.

Er verstand nicht, wie es Leute geben konnte, die sich bestechen ließen und mal ein Spiel oder einen Kampf absichtlich verloren, um Geld zu verdienen. Für kein Geld der Welt würde er das tun. Nur jetzt, um Ajani, dessen Vater, dieses Turnier, das gesamte soziale Projekt und vielleicht sogar ein bisschen die Fußball-WM als Ganzes zu retten.

Plötzlich hatte Michael den Ball vor seinen Füßen. Ajani hatte eine Ecke getreten, der ghanaische Torwart einen Fehler gemacht, den Ball unterschätzt und war drunter durchgesprungen. Das Tor war leer. Michael hatte den Ball. Er musste ihn nur noch einschieben. Aber genau das durfte er nicht. So schnell wusste er aber auch nicht, was er mit dem Ball stattdessen anfangen sollte. Deshalb stand er einfach nur da. Zum Glück kam schon ein Abwehrspieler und drosch den Ball fort.

Michael atmete erleichtert auf.

Und Gavivi pfiff Elfmeter!

Ein gellendes Pfeifkonzert schrillte durch das Stadionrund. Angeführt von den Grünheimern, die sich natürlich besonders ärgerten, wie sehr ausgerechnet die Mannschaft bevorzugt wurde, in der drei von ihren Erzfeinden mitspielten.

»Zum ersten Mal freue ich mich über die Grünheimer«, lachte Ilka. »Die machen gut Stimmung genau in unserem Sinne. Ich glaube, Gavivi wird richtig ein bisschen nervös.«

In der Tat hatte Gavivi nicht mit einer solchen Reaktion gerechnet. Etwas unsicher schaute er sich um, ließ sich aber natürlich von den Protesten der ghanaischen Spieler trotzdem nicht beirren und zeigte stur auf den Elfmeterpunkt.

»Ich mach das schon!«, bot Ajani sich an.

Lennart wusste, was er damit meinte: Er würde absichtlich danebenschießen. Gavivi konnte sich auf den Kopf stellen. Die Südafrikaner würden um nichts auf der Welt das Führungstor schießen.

Ajani legte sich den Ball zurecht.

Die Grünheimer protestierten nach wie vor und entfachten das Pfeifkonzert auf den Rängen immer wieder aufs Neue.

Ajani lief an und zimmerte den Ball drei Meter neben das Tor.

»Den hättest auch du schießen können«, lästerte Lennart leise zu Michael. »Du hättest dich nicht mal verstellen brauchen.«

»Sehr witzig!«, meckerte Michael. »Allmählich macht mir das hier keinen Spaß mehr.«

Lennart sah Michael ernst an. »Mach bloß keinen Unsinn!«

Michael winkte ab. »Nein, nein. Schon gut. Ich weiß Bescheid.«

Die beiden wollten sich gerade auf ihre Posten begeben, um den Abstoß des Torhüters abzufangen, als Jabali nach vorn zeigte: »Der Elfer wird wiederholt.«

Lennart und Michael drehten sich erstaunt um. »Wieso das denn?«

»Angeblich hat der Torhüter sich zu früh nach vorne bewegt«, erklärte Jabali. Er zeigte auf den Schiri, der schon wieder umringt war von den ghanaischen Spielern, die erneut vergeblich protestierten.

Die Grünheimer waren außer sich. Das ganze Stadion protestierte mit einem gellenden Pfeifkonzert. Die Stimmung war gegen die Gastgeber umgeschlagen.

»Die armen Jungs!«, bedauerte Linh. »Jetzt sind alle gegen sie. Dabei können sie doch gar nichts dafür.«

»Das wird sich ändern, wenn alles aufgeklärt ist«, hoffte Ilka.

Herr Bikele hatte genug gesehen. »Das reicht!«, sagte er entschieden und suchte Ajanis Vater, der ja zum Organisationskomitee gehörte, auf. Ilka und Linh sahen ihm nach und beobachteten, wie er mit Ajanis Vater sprach, der bald gar nicht mehr glücklich wirkte.

Auf dem Platz musste dennoch der Elfmeter wiederholt werden.

»Wer verschießt jetzt?«, fragte Ajani etwas leichtfertig in die Runde.

»Was soll das denn heißen?«, fragte Herr Gavivi nach, weil er das gehört hatte.

»Nichts!«, wiegelte Ajani ab.

Doch Michael hatte die Nase voll vom Versteckspielen. »Das wissen Sie doch ganz genau!«, blaffte er den Schiedsrichter an. »Wir haben Ihr Spiel durchschaut!«

»Was meinst du damit?«, fragte Herr Gavivi argwöhnisch.

»Hör auf!«, zischte Lennart Michael zu.

Doch Michael war nun nicht mehr zu bremsen.

»Wieso denn? Das wollen wir doch jetzt mal sehen!«

Michael ging forsch auf den Schiedsrichter zu
und kniff ihm in die Nase.

Lennart stockte der Atem.

Jabali grinste breit übers ganze Gesicht.

»Na?«, fragte Michael nach. »Jetzt müssen Sie
mich vom Platz stellen. Das passt nicht gerade in
Ihren Plan, oder?«

Michael hatte recht. Gavivi hatte keine andere
Wahl.

Mit säuerlicher Miene zückte er die Rote Karte
aus der Gesäßtasche und streckte sie Michael hin.

Tosender Beifall der Grünheimer. Doch diesmal
war Michael deswegen nicht sauer. Im Gegenteil.
Er applaudierte mit.

Und dann geschah etwas, was Lennart noch nie
bei einem Fußballspiel erlebt hatte.

Plötzlich standen sein Trainer, Herr Bikele und
Ajanis Vater auf dem Spielfeld.

»Wenn hier einer gehen muss, Herr Gavivi, dann
Sie!« Ajanis Vater hielt dem Schiedsrichter den
Wettschein vor die Nase. »Morani
wird aussagen, da habe ich kei-
nen Zweifel.« Er drehte sich zum
Spielfeld und rief: »Das Spiel

wird abgebrochen. Und morgen wiederholt. Mit einem anderen Schiedsrichter.«

»Und wir nehmen das gesamte Turnier aus dem Wettplan«, versprach Herr Bikele.

Lennart, Michael, Jabali, Ajani und der ganze Rest der Mannschaft spendeten nun frenetischen Beifall und jubelten fast so, als ob sie den Einzug ins Finale in einem fairen Spiel geschafft hätten.

Die Ghanaer standen auf dem Platz und staunten Bauklötze.

»Wir erklären euch alles!«, kündigte Ajani dem Spielführer der Ghanaer an. »Heute Abend bei einem Grillfest!«

Sein Blick huschte schnell zu seinem Vater, der ihm in stummem Einverständnis zuzwinkerte.

Auch die Grünheimer wussten überhaupt nicht, was los war, als der Schiedsrichter plötzlich von drei Erwachsenen vom Feld geführt und das Spiel abgebrochen wurde.

Linh ging zu Tom und sagte nur ein Wort: »Danke!«

»Wofür?«, fragte Tom.

»Ihr habt uns dabei geholfen, das Turnier zu retten. Auch, wenn ihr es nicht wusstet.«

Mit diesen Worten drehte sie sich um und ließ den ratlosen Tom einfach stehen.

»Alles Weitere wird er sicher morgen in der Lokalzeitung lesen können«, sagte sie zu Ilka.

»Wenn er Englisch versteht«, grinste Ilka. »Was ich ehrlich gesagt nicht glaube.«

»Und morgen schlägt unsere Mannschaft die Ghanaer, aber mit fairen Mitteln«, war Nelson überzeugt.

Doch genau das tat sie nicht. Denn schon das erste Spiel gegen die Brasilianer war ja von Gavivi manipuliert worden. Deshalb entschied das Team am Abend beim Grillfest, aus dem Turnier auszusteigen. So zogen die Spanier ins Endspiel ein, obwohl sie gegen Brasilien 1:0 verloren. Bei gleicher Tordifferenz hatten sie aber insgesamt ein Tor mehr geschossen. Die Südafrikaner hätten es also tatsächlich ins Finale geschafft, wenn sie gegen Ghana 3:0 gewonnen hätten. So wie Gavivi gewettet hatte. Die Spanier würden im Endspiel auf die Italiener treffen, wie Michael erleichtert feststellte.

Dass sie selbst ausgeschieden waren, machte ihm nicht so viel aus. Dafür hatten sie das Turnier und den Sport gerettet. Und nebenbei in einhelliger Abstimmung den Fairness-Pokal erhalten. Sogar die Grünheimer hatten dafür gestimmt.

Was wollte man mehr?

SHOW YOUR ⚽.